Bruit blanc

FRÉDÉRIC LASAYGUES | ŒUVRES

VACHE NOIRE, HANNETONS
ET AUTRES INSECTES | *J'ai lu* 2268***
BRUIT BLANC | *J'ai lu* 2411***

Frédéric Lasaygues

Bruit blanc

Éditions J'ai lu

A Sandy Washburn, barman « d'un autre monde ».

« Tout serait-il absurde ou y aurait-il un sens ? Je me rends malade d'y penser. »
G. BATAILLE

« O That Magic Feeling, Nowhere to Go... Nowhere to Go. »
THE BEATLES

1

BERNIE ET LES ROMAINS D'AMÉRIQUE

Il l'a déjà baisée deux fois, comme ça, sur le bord du lit, alors qu'elle venait changer les serviettes et remplacer la savonnette. Mais les serrures ont des yeux et la patronne du motel lui en a fait toute une montagne. Comme quoi la petite Black est illettrée et qu'elle n'a pas quinze ans, enfance difficile, le père en prison et blablabla. Okay, mais quel rapport ? Jessie (c'est son nom), elle a les croquettes en feu. Qu'est-ce qu'il y peut ? Il se demande même si elle a pas de pareils débordements avec le Yankee de la 32 et l'Italien gluant de la 14. Mais bon, il s'est écrasé. La chambre est au mois et le loyer raisonnable, contrairement à la plupart des motels qui multiplient les tarifs par deux ou trois pendant la saison d'été. Piscine juste en bas. Distributeur de glace à l'étage. La plage à un jet de pierre. Et il peut faire monter toutes les nanas qu'il veut. Pourquoi chercher les complications ?

Aussi quand elle entre avec son paquet de serviettes calé sous le menton et qu'elle s'appuie au mur en croisant ses interminables jambes chocolat, Paul remonte le couvre-lit sur lui. La chaleur le colle au drap. Le climatiseur a beau ronfler comme un sourd, l'écran de filtrage est tellement encrassé qu'il laisse juste passer un filet d'air à peine plus frais que la fournaise du dehors.

C'est le mois d'août. Trente-cinq à l'ombre. Quatre-vingt-quinze pour cent d'humidité atmosphérique. Le paradis des grands brûlés du bronzing. L'enfer pour les autres.

Paul a le temps d'entrevoir l'enseigne du Mustang Motel qui se balance dans l'air bleu. Un cheval au galop. Un cactus. Un courant d'air referme la porte. Il essuie son front trempé de sueur.

Jessie le dévisage avec un sourire en coin. Le regard bouillant comme un toaster branché, la tranche de pain prête à sauter. De toute façon, il n'a pas la forme ce matin. Paupières chiffonnées. Gueule de bois en chêne massif. Impossible de se rappeler ce qu'il a foutu en sortant de chez Mike et Jill, hier soir. Tout ce qu'il sait, c'est qu'il s'est réveillé sur un gazon anglais avec les premiers rayons du matin, le smoking mouillé de rosée. Un caniche est venu lui aboyer dessus. Une bonne femme en robe de chambre à fleurs a ouvert les volets d'une grande baraque à deux étages. Il s'est levé, lui a fait un signe amical de la main et il a sauté la barrière. En moins d'une demi-heure il localisait sa voiture garée à cent mètres de là. Une aile éraflée avec des traces de peinture rouge. Encore une fois l'ange gardien des biturés splendides avait eu pitié de lui...

– Ouh ! ricane Jessie. Toi, t'es pas frais !

Il marmonne un pâteux charabia. Des morceaux de phrase mâchouillés.

Elle rigole.

La télé est allumée mais sans le son. Il doit être pas loin de midi parce que c'est l'heure des jeux. « La pyramide de vingt-cinq mille dollars. » Deux bonnes femmes regardent tourner une roue de loterie en bondissant sur place la bouche ouverte. L'une d'elles fait mine de s'arracher les cheveux. Le téléviseur est accroché au mur, légèrement incliné pour qu'on n'ait pas à lever la tête depuis le pieu. Dessous, une longue table imitation acajou. Au fond, le coin douche. Dans l'angle, petite fenêtre poussiéreuse, climatiseur encastré dedans. L'épaisse moquette vert prairie baigne le décor d'une ambiance de clairière synthétique. À droite du lit, large baie vitrée donnant sur la galerie qui dessert les chambres. Le store à lamelles est à demi descendu.

Jessie se penche sur la machine à écrire. Sa tignasse crépue brille dans un rai de lumière. Paul aperçoit la lisière d'un slip rouge. Toujours les deux mêmes nuages sur la page blanche. C'est tout ce qu'il est arrivé à écrire en deux semaines de travail acharné...

Nuages... nuages...

Objectivement, c'est le meilleur truc qu'il ait jamais pondu. Il se passe la langue sur les lèvres avec l'impression de touiller une boule de coton.

– *Clouds... clouds...*, il fait.

Elle prend deux serviettes du dessus de la pile et les jette sur la table à côté du paquet de papier extra-strong. Le meilleur truc qu'il ait jamais pondu. Une densité rare. Du pur jus.

– Je sais pas si t'écris un livre, *Frenchy*, dit Jessie, mais t'as peut-être une chance de faire pleuvoir !

Paul bande sous le couvre-lit. Quel sublime mouvement quand elle pivote sur les hanches. Une liane brune roulant dans un fétu de soleil et derrière elle l'ombre touffue d'une forêt tropicale. C'est d'une beauté absolue et indécrottable. Il a un mal fou à s'accrocher à ses bonnes résolutions mais l'idée d'avoir à dégoter une autre piaule dans cette ville surpeuplée de touristes l'encourage à maîtriser ses instincts. Une discipline qu'il a pourtant en horreur.

Elle est déjà à la porte, le menton appuyé sur le tas de linge frais. Lumineuse et juteuse.

– Il faut que j'y aille...

L'accent traînant et la phrase en suspens sont plus qu'une invite... mais il tient bon.

– Je crois que je vais en écraser encore une heure ou deux. *Bye !*

Elle hausse les épaules avec une moue de résignation. Paul la regarde sortir en se rongeant la lèvre inférieure. Quel gâchis ! Il reste seul avec son gourdin pulsant contre le ventre. Muet sous les cieux déchiquetés. La patronne du motel est une mal baisée. Il l'a vu tout de suite. Cette putain de planète grouille de pouffiasses dans son genre qui font tout pour vous empêcher de mordre dans le fruit de la vie.

– Merde ! il soupire. Encore un cul qui s'envole !

Nuages... nuages...

Le ciel est rempli de plénitudes inabouties. Paul en a des aigreurs d'estomac. Il lui reste que ses cinq doigts pour éviter l'ulcère.

Bernie ne tourne même pas la tête. Paul referme la porte derrière lui. Bordel indescriptible dans la chambre 8, rez-de-chaussée du motel. Il est cinq heures de l'après-midi. Ombres orange filtrant à travers le rideau baissé. Un coup d'œil et Paul pige que Bernie est en pleine crise maniaco. Rien que l'odeur. Un relent de fauve brisé. Bernie a le pelage dressé sur les guibolles et la poitrine. La sueur ruisselle dans son cou. Il est assis sur le bord du lit, complètement absorbé par la télé qui diffuse les *news*. Vêtu seulement d'un caleçon à fleurs, un bloc-notes sur les genoux, il griffonne d'une patte dingue. Absolument barjo.

— Qu'est-ce que tu fous ?

Bernie se tourne vers lui, la veine frontale battant sauvagement, les yeux exorbités.

— Je corrige.

— Tu corriges quoi ?

— Leurs merdes. LEUR PUTAIN DE POLITIQUE DU SUICIDE TOTAL ! C'EST AFFOLANT ! POURQUOI EST-CE QUE TOUT LE MONDE FERME LES YEUX ?

Paul avale sa salive. Depuis huit jours que Bernie s'est installé au Mustang il l'a vu grimper quatre à quatre les échelons du délire. Parano aiguë et folie de la persécution. L'autre matin, il l'a trouvé en train de parler dans le tuyau de la douche qu'il avait arraché du mur et branché sur la télé. Le porte-parole du Pentagone faisait un speech particulièrement agressif à l'égard de l'Iran et Bernie remplissait les blancs à sa manière, gueulant des slogans pacifistes et insultant tout le gouvernement.

— Ils croient que c'est de ma faute ! Les ouragans, les meurtres, les guerres ! Merde, je n'ai jamais voulu ça ! JE N'AI JAMAIS VOULU ÇA, PAUL ! ILS SONT FOUS ! IL FAUT QUE JE LES ARRÊTE !

— Okay, Bernie... Regarde-moi. Je suis quelqu'un de réel, hein ? Je suis pas une télé, t'es d'accord ? Je suis ton pote. Tu fais la différence tout de même ! Tu vas venir avec moi. On va sortir faire un tour...

— POLITIQUE DE MERDE ! C'EST LE SUICIDE TOTAL PLANIFIÉ ! POURQUOI EST-CE QU'ILS SE SONT MIS DANS LA TÊTE QUE J'Y ÉTAIS POUR QUELQUE CHOSE ? ILS N'ÉCHAPPERONT PAS À LEUR CONSCIENCE !

Pause. Bernie arrache du bloc la page griffonnée et la plie en quatre, et puis il se met soudain à chuchoter hystériquement :

— Depuis que je suis môme, ils sont persuadés que je veux foutre la planète en l'air ! Paul, c'est terrible ! Je me tue à leur dire ! Les Noirs, les Blancs ! Fous ! Fous ! Hiroshima, c'était pas moi. Je me tue à leur dire !

— Je sais bien, Bernie. Je sais tout ça. T'as rien à prouver.

— Leur conscience a le cancer. LE CANCER EST MÉTAPHYSIQUE ! Paul, j'ai peur ! Non, je n'ai pas peur. Mais s'ils doivent me crucifier, je veux au moins QUE ÇA SERVE À QUELQUE CHOSE !

Paul avance d'un pas. Bernie se dresse sur ses jambes. Il glisse son message sous le poste de télé. Images d'émeute en Afrique du Sud. Le visage impassible du correspondant qui fait son commentaire. Retour au studio. Spot publicitaire. Bernie, l'homme qui parle à l'Amérique à travers un tuyau de douche, s'effondre sur la moquette, souffle court, sanglots dans la voix.

— LE RÈGNE DE L'AMOUR ! JE SUIS LÀ POUR LE DIRE ! ET CES SALAUDS FONT EXPRÈS DE PAS M'ÉCOUTER !

Des messages sous la télé il y en a un paquet. Paul voit toute la détresse du monde défiler en accéléré. Visages muets, bâillonnés. Et Bernie qui règle la longue et salope addition des horreurs humaines à cause d'une chimie détraquée du cerveau. Paul s'agenouille pour être à son niveau. Il l'attrape par le bras et le secoue doucement. La climatisation est coupée. Il règne une chaleur suffocante. Les vibrations d'enfer qui traversent la pièce font trembler l'air immobile. Bernie se relève d'un bond, les muscles du bras comme du béton, les tendons du cou prêts à craquer. La tronche du commentateur est revenue sur l'écran. Le type regarde Bernie avec un sourire idiot et conclut :

– C'est tout pour les nouvelles de ce soir. Tom Brokaw, NBC news. À demain.

– Bernie… Écoute-moi. Fais pas le con… Où sont tes médicaments ? Pourquoi tu fais ça ? C'est pas compliqué de prendre trois pilules par jour, merde ! Depuis combien de temps t'es dans cet état ? Tu me fais mal. Arrête ton cirque !

Bernie ne répond pas. Ne répond même plus de lui-même. Sans ses neuf cents milligrammes de lithium quotidiens, c'est un bolide fou lancé à travers l'humanité. Il voit des Romains partout, des agents de la C.I.A. et des flics de la galaxie des Ténèbres venus l'aspirer dans le trou ignoble d'où sort toute la merde du monde. Court à poil sur l'autoroute en bénissant les arbres (les seuls vrais êtres humains à la surface de la terre, dit-il souvent), grimpe sur les dunes en annonçant la rédemption de tous les péchés et finit à l'aube, déchiré et meurtri, écartelé sur un talus. Bernie passe son temps à mourir pour les autres. La plupart des gens n'arrivent pas à mourir pour eux-mêmes, mais ce cinglé de Bernie meurt chaque jour de sa vie pour l'ensemble de la race.

Le lithium est un minéral. Peut-être le sable du silence et de la résignation.

Bernie n'est pas comme les autres. Il ne lui vient pourtant pas à l'idée qu'il est différent. Il est seul. Seul.

Paul balise. Bernie lui glisse des doigts et saute sur le plumard. Le cendrier rempli de mégots s'écrase sur le tapis. Il ne l'aura jamais par la force. Bernie est bien au-dessus de sa pointure. Une lourde ossature enrobée de muscles épais. Forces décuplées par le délire. De toute façon, c'est pas la bonne tactique. Bernie est en manque d'amour. Il faut lui faire l'amour. Putain, mais pourquoi est-ce qu'il se coltine ce loufdingue ?

– Tes pilules, Bernie ! Où sont tes pilules ! Réveille-toi ! RÉVEILLE-TOI ! Descends de là et écoute-moi seulement une seconde !

Un singe shooté au speed sur un trampoline. Le voilà qui se met à sauter en faisant des moulinets avec les bras. Crâne frôlant le plafond. Paul est glacé et brûlant en même temps. Tripes nouées. Le con est capable de s'ouvrir la tête.

– JE TRANSPIRE DU SANG, PAUL ! MERDE, JE TRANSPIRE DU SANG !

– Arrête tes conneries, tu perds ton caleçon !

– ILS ME DROGUENT POUR QUE JE ME TAISE ! BOMBARDIERS DANS LE CIEL ! BOMBES ! VIRUS ! MÊME LA PORTE FERMÉE, JE SENS LA MORT PARTOUT ! QU'ILS VIENNENT ! MAIS QU'ILS VIENNENT ME CHERCHER ! J'EN PEUX PLUS D'ATTENDRE !

– C'est la camisole que tu veux, Bernie ? T'es en train d'ameuter tout le motel ! Descends de là ! Pour l'amour de Dieu, descends de là !

Ça pue le drame à plein nez. Le sommier pousse des plaintes affreuses et le pieu tangue méchamment. Bernie se donne comme un possédé. Bondit et rebondit. L'écume aux lèvres, mâchoires électriques, pectoraux endiablés.

— MAFIA ! C.I.A. ! ROMAINS ! TERRORISTES !

Tant pis s'il en prend plein la gueule. Peut pas rester comme un branque à attendre l'apocalypse. Paul se jette dans l'action. Il s'élance. Le chope par les hanches. Bernie lui échappe. Lui file sous les pattes comme une anguille en sueur. Va cogner contre le mur. Paul a un genou sur le matelas. Il ramène son autre jambe pour lui foncer dessus et le plaquer mais l'enfoiré lui assène un coup de traversin en travers du poitrail. Le choc le renvoie en arrière. Il s'emmêle et trébuche. Et le décor se met à basculer sans rien pour l'agripper. Le lit s'effondre en craquant abominablement. Paul tombe sur le dos. Bernie lui passe au-dessus tel un avion en perdition et va se crasher au pied du lampadaire. Paul roule sur la moquette. Gros plan sur une chaussette froide et deux mégots. Il se mord les dents pour pas crier de douleur. Le bois du pieu lui est rentré dans le dos. Merde ! Il reste deux secondes sans bouger, simplement à se demander comment tout ça est arrivé et pourquoi il se fout dans de telles galères. Il gémit à l'intérieur. Hurle à la mort. Quand une brassée de crépuscule se déverse dans la pièce. Il tend le cou.

Madame Warden, la tôlière, se tient sur le seuil. Mauve et blême à la fois. La bouche en position hurlement.

— CETTE FOIS J'APPELLE LA POLICE ! SALES HOMOSEXUELS ! MAIS REGARDEZ-MOI ÇA... DANS QUEL ÉTAT ! OH MY GOSH ! C'EST PAS POSSIBLE ! MOOONSTRES !

13

Bernie ne bouge pas d'un poil. Il est replié dans le coin du mur, tête entre les genoux, le caleçon entortillé autour de la cheville. Ses couilles comprimées entre ses cuisses ont l'air de deux vieilles prunes apoplectiques.

Misère.

Paul se redresse en grimaçant. Les pieds du lit ont lâché. La structure gît sur le ventre, montants fendus sur toute la longueur. Il y a des jours comme ça où la fatalité s'acharne à vous démolir sans qu'on sache pourquoi ni comment.

– Madame Warden, il faut que je vous explique...

Une heure plus tard, ils quittent le *Dunehill Shopping Center* après avoir passé un joyeux moment dans l'arrière-boutique de la pharmacie. Doc Goofy, le toubib attitré de Bernie, est arrivé en urgence. Une dose de Valium et la situation est redevenue vivable.

– Écoute, je l'ai vu de mes yeux, insiste Bernie. Cette fille avait la gueule pleine de boutons. Je te jure ! J'ai appliqué la main sur son visage et pffuit ! Aussi lisse qu'un nénuphar. Plus la moindre trace. J'invente rien ! C'est ce jour-là que je me suis dit...

– Un vrai miracle, hein ? grince Paul.

Il ralentit pour se laisser doubler par une voiture de police, puis :

– Dis. Je voudrais que tu me fasses un petit miracle. Rien que pour moi.

– Quoi ?

– Ferme ta gueule !

Bernie croise les bras et s'enfonce dans le siège, le visage sombre. Paul regarde fixement devant lui.

14

Ils roulent vers North Crescent où habitent Mike et Jill. Paul les a appelés depuis le centre commercial. Bernie va aller s'installer chez eux. Quelques jours. Le temps de retrouver une vision plus saine des choses avec une cure de lithium. Et pas question qu'il aille au boulot dans cet état. Paul lui trouvera une excuse. Ils travaillent tous les deux au Hilton Hotel. Bernie est barman au Tropico Bar. Paul, lui, Captain au restaurant. S'occupe des flambées et découpages sur guéridon.

– Je m'excuse pour tout à l'heure... Je voulais pas te frapper...

– Laisse tomber. T'es sûr que tu veux pas passer chez toi prendre d'autres fringues ?

– PAS CHEZ MOI ! Merde, non ! Ils sont déjà là-bas à m'attendre. Je le sais.

– Oh, putain, Bernie ! Recommence pas.

– C'est plus fort que moi. Je sens leur présence. Tiens, j'en ai la chair de poule !

– Je crois que j'ai compris ce qui t'arrive, vieux. T'es qu'un énorme retour d'acide. Tu t'es tellement halluciné les neurones dans tes jeunes années qu'ils peuvent plus fonctionner autrement. T'es une victime de guerre à ta manière !

– C'est malin.

Ils traversent Restaurant Row. De chaque côté de la route, enseignes de pizzerias et de restaus chinois. Parkings bourrés de bagnoles. Paul allume une cigarette. Six heures du soir et les ombres qui s'allongent. Il est déjà en retard. Il appellera de chez Mike pour que Tonio fasse la mise en place sans lui.

Depuis sa maxi-crise d'il y a dix jours, Bernie ne veut plus mettre les pieds chez lui. Dit qu'il a jeté la clé et coupé le téléphone. La Mafia, la C.I.A. et les Romains d'Amérique ont des exterminateurs embusqués dans le quartier. Il y aurait aussi des cloueurs juifs pour le crucifier. Même sous lithium, l'obsession persiste. Il a beau savoir qu'il débloque, sa folie le tient en éveil vingt-quatre heures sur vingt-quatre. Paul note mentalement : Est-ce que Jésus bourré de neuroleptiques aurait tendu la savonnette à Ponce Pilate ? Mais Bernie est le prophète de son vide intérieur. Une armée d'ombres l'encercle. Quand il ne se prend pas pour le Christ réincarné il s'identifie à Meher Baba, guru fondateur du centre de méditation de Crescent.

— Je vais prendre rendez-vous avec mon analyste, soupire-t-il. Remarque que ça sert pas à grand-chose. Quand j'ai la tête prise par mes histoires, je peux rien contrôler. Je suis tellement persuadé que ça m'arrive réellement... La première fois que j'ai ressenti ça, j'étais tout môme. Je me rappelle comme si c'était hier.

Ses parents regardaient la télé dans le salon. Des images de la guerre de Corée. Villages en flammes. Des femmes qui courent dans les fumées en serrant leur bébé contre elles. Le petit Bernie tord les boutons de son pyjama, les larmes aux yeux. L'horreur est dans sa maison. Elle fuse du poste et se répand partout comme un chancre bouffant les derniers lambeaux d'innocence. Une douleur irradie son ventre. Il tombe à genoux en sanglotant...

— Et ce jour-là j'ai su que cette connerie de guerre et toutes ces atrocités c'était de ma faute. DE MA FAUTE À MOI ! Pour une raison mystérieuse, des gens mouraient à cause de moi à l'autre bout du monde. Tu comprends, c'était pas un délire de gamin ni un jeu mais une certitude absolue. Une réalité écrasante. Rien à faire pour la repousser. Et évidemment j'étais le seul à savoir. Tu te rends compte du poids à porter ? DE MA FAUTE ! Une guerre entière à moi tout seul ! Et après, ça n'a fait qu'empirer...

Paul ne dit rien. Bernie le regarde de l'autre côté. Dégoulinures de néons sur la vitre. Sa voix tremble.

— J'ai eu des coliques pendant plus d'un an. Je chiais mes tripes. Atroce. Mes parents m'ont emmené voir des toubibs. Personne comprenait ce que j'avais. Je me vidais par le trou du cul. C'est parti comme c'est venu. Les coliques. Un jour, ça s'est arrêté.

— Qu'est-ce que tu en pensais ? Je veux dire, toi, dans ta tête de môme ?

— Je me disais que l'enfer est dans le ventre. Et ça m'a repris avec le Viêt-nam. Des chiasses épuisantes. J'étais en contact avec Nixon presque tous les jours.

— Tu lui passais des messages à travers la télé ?

— Bien sûr.

— Okay, Bernie. Mais maintenant tu sais bien que c'était seulement du délire.

— Qu'est-ce qui est plus délirant, Paul, un mec comme moi qui a des coliques ou un gouvernement d'assassins qui chie des bombes et du napalm sur des villages de paysans ?

Paul fixe la route. Mains crispées sur le volant. Incapable de trouver un truc cohérent à dire. Il tourne à droite dans Murrel's Avenue et aperçoit au bout la bande bleu sombre de l'océan. Deux mouettes immobiles sur le vent. Il ouvre la vitre et jette sa cigarette. Bernie le regarde sans ciller. Des larmes lui coulent sur l'arête du nez.

— Mes parents m'ont fait enfermer pendant trois ans. Instabilité émotive et paranoïa. L'émotion fait peur, tu comprends ? Tu es le miroir de la lâcheté et du silence des autres. Ma mère, la femme qui m'a mis au monde, est terrifiée à la seule idée de me parler au téléphone. Elle est obligée de prendre des calmants. Elle croit en Dieu et en Jésus-Christ. Elle aime les meubles anglais et les parquets cirés et les parties de bridge du samedi après-midi. Elle a une sainte trouille des germes et se balade dans la maison avec un spray désinfectant, comme si tous les virus poireautaient à sa porte pour l'envahir et la grignoter de l'intérieur. Je suis pas son fils. Plutôt une sorte de kyste, une grosseur dont elle voudrait se défaire…

2

CAROLINA MOON

Nuages filant très vite sous la lune ronde. Leurs ombres glissent sur le sable mouillé tartiné de reflets. Et l'océan qui gronde. Le sombre océan muselé par son colossal rouleau d'écume déferlant sans un accroc jusqu'à Surfside Beach. Au loin, avançant sur la mer, la lumière tremblotante du phare au bout de la jetée de bois.

Ligne grise des dunes bordant la Route 17. Cimes des palmiers agitées par un vent tiède. Il est près de deux heures du matin et les crabes sont de sortie. On les voit cavaler sur le sable, prêts pour une partouze lunaire.

C'est d'abord un ronronnement confus, vague, doublant imperceptiblement la rumeur des flots, puis le bruit enfle. Un halo blanc qui apparaît par une brèche entre les dunes et la voiture déboule comme une furie, zigzaguant, dérapant, chavirant d'un bord à l'autre. Le moulin hurle. L'aile avant-gauche accroche un rayon de lune qui éclate en paillettes sur le pare-brise. La bagnole s'enfonce jusqu'aux essieux mais continue sur sa lancée. Rageuse. Forcenée. Roues arrière levant une tourmente de sable. Moteur crachant le feu. Enfin le sol se raffermit et elle bondit à travers la plage. Elle trace droit vers l'océan...

Le faisceau des phares éclaire bientôt l'écume levée. Tout porte à croire que la bête folle va se précipiter dans les flots.

Nuages...

Nuages dérivant sous le milieu du ciel.

Il conduit d'une main, la gauche, l'autre agrippée à la bouteille de tequila calée entre ses cuisses. « *El Toro Gold* », avec un petit sombrero rouge en guise de bouchon. Vitres fermées, mais le vent qui siffle quand même à ses oreilles. Des buffles noirs aux naseaux morveux galopent de chaque côté de la voiture. Il les voit. Sabots martelant le sol. Paquets de bave mauve jetés dans la nuit. IL LES VOIT. Les flancs luisants de sueur. Les muscles qui roulent sous le cuir. Son pied s'écrase au plancher et... C'est exactement comme ça que Paul veut entrer dans l'histoire. Une étoile filante qui rote la tequila, lancée dans une chevauchée héroïque. La conquête de l'Amérique par le dernier des lunatiques. RIEN N'EST ÉCRIT... TOUT SE BARRE !

Il dévale la plage déserte et regarde monter vers lui la masse obscure du Grand Glauque atlantique qui moutonne et rugit. Il a maintenant les deux mains posées sur le volant. Paumes moites. Divinement déchiré. Porté par des vents indomptables. Se casser la gueule... s'écraser... Un cri formidable lui monte depuis les tripes, emplit sa poitrine, dilate sa gorge. Il serre les dents pour pas le lâcher. Pas encore. Pas tout de suite. D'abord sentir craquer et vibrer les sangles qui retiennent son âme. Bouffer sa trouille. Ronger son frein. Fixer le disque phosphorescent qui grossit dans le pare-brise. Jusqu'à la dernière limite. Jusqu'à l'extrême balise. Voilà. Un ange terrible propulsé en direction du souverain Nowhere dans son oiseau de feu. Bourré, schlass. Un vrai soir de vraie grande marée de pleine lune. Terrorisé. Apaisé. Enfin vivant. Il peut hurler pour de bon maintenant. À s'en faire péter le système.

Et il HURLE !

Au même moment, il entend le crépitement de la gomme sur le sable détrempé. Le mur noir surmonté de sa crête blanche est dressé devant lui.

Il lève brusquement le pied et lance le volant en toupie. La voiture fait un tête-à-queue. Déferlante et choc sourd contre le bas de caisse. Dérapage latéral dans le creux de la vague. Le sable et l'eau cinglent les vitres. Des glaviots de lune dans les yeux. Les buffles ont disparu. La bouteille de tequila glisse et roule sur le plancher. Paul enfonce à nouveau la pédale des gaz. Son âme se rassoit violemment dans son corps. Il en reste collé au siège.

L'oiseau de fer s'élance hors de la vague, les ailes ruisselantes, poussé au cul par l'éternel rouleau. Essuie-glaces. Le sable crisse sous les balais. Paul reprend sa respiration en sachant pertinemment bien qu'il va continuer à vivre à moitié et à mourir à moitié parce qu'il n'y a rien de plus casse-gueule que d'être vraiment soi-même, entier et sans partage. Son cœur reprend un tempo moderato. Un coup d'œil dans le rétroviseur. Rien derrière. Et devant, la frange fluorescente léchée par les vagues. Le phare de Surfside crevant le noir, tout là-bas. Il allume une cigarette et descend la vitre. Conduite cool. L'air du large lui ventile le front et les tempes. Il laisse fuser un petit rire de fin de démence. Rien à faire, il lui faut ces moments forts pour après sourire de tendresse quand la vie retombe dans ses ornières. Ces moments où il pousse la solitude à bout et la laisse ensuite revenir à lui, langue pendante, écorchée et fourbue, soumise comme une chienne.

Les lueurs de Crescent Beach ne tardent pas à se profiler sur sa gauche. Les néons des hôtels et des salles de jeux clignant sous la brise nocturne. Bordure de mer : bordel de murs. C'est là qu'il zone pour une place au soleil. Deux cents dollars par semaine. Payer les traites de sa Pontiac Firebird 69 et faire que la vie soit à peu près baisable. Il ramasse la bouteille qui se planque sous le siège, dévisse le sombrero et avale une lampée. Clin d'œil à la lune au passage. C'est la lune qui le met dans cet état. Le mois dernier il a passé une nuit entière sur le toit du motel. Il avait grimpé là-haut par la gouttière avec une bouteille et une bougie et était resté jusqu'au matin, allongé sur le dos, à suivre la course de la grosse joufflue en se demandant s'il était pas un poète chinois qui se serait trompé de karma. Les poètes chinois sont des types très mélancoliques qui se soûlent à l'alcool de riz et roulent dans le fossé, pleurant leur douleur de pas pouvoir s'envoler vers la lune qui est leur mère et leur patrie. Comme eux, Paul se lamente…

Les vieux rockers lèchent leurs blessures. Question : est-ce qu'un mec comme lui peut jamais faire son trou et se coucher en rond la paix dans l'âme ? Son grain de sel nulle part. Rien foutre d'autre qu'écrire un poème contemplatif entre deux virées sauvages à travers la pampa humaine. Qu'est-ce qu'il donnerait pas pour plus sentir ce vide sous ses semelles, où qu'il aille, partout cette plaie béante sous ses pieds. Et la route qui l'appelle. Toujours. À chaque fois qu'il jette un œil par la fenêtre de sa chambre. N'importe quelle chambre. Où qu'il soit. Il peut jamais rester assez longtemps dans une ville pour avoir son nom dans l'annuaire. Ou alors il n'y a déjà plus d'abonné au numéro. Ses bottes sont ses meilleures copines. Quand il est dedans il a au moins une vague idée de la signification absurde des choses. L'univers est une paire de bottes. La route est sacrée.

C'était donc pas une blague la génération perdue. Il en parlait l'autre soir avec Mike. Mike qui se met à chialer quand il sort de son portefeuille un vieux ticket fripé qui dit : WOODSTOCK ADMISSION $ 7.50. À croire que depuis ce temps-là l'existence se traîne comme une interminable sortie de concert.

– Oui, c'est ça, il dit à mi-voix. Une sortie de concert. La musique est morte. Nulle part où aller.

La lune se reflète sur le capot. Les coquillages craquent sous les pneus. Une nuit, toutes les autres nuits. Un filet de sueur dans le dos. Le volant qui poisse entre les doigts. Il a fini par oublier tout à fait ce qu'il était venu chercher en Amérique... Tous les bars se ressemblent. Les vieux rockers lèchent leurs blessures comme les chiens, à la dure.

Les lumières d'Ocean Boulevard. Paul entend les éclats de musique qui fusent de l'Electric Circus où se produisent les groupes du coin. Des couples se baladent sur la promenade. Losanges bleus des piscines reflétés dans les vitres noires. Non, c'est vrai, la musique n'est pas morte, même si Charlie Watts a les cheveux blancs. Des confitures de guitares flottent au-dessus du boulevard. Ce sont les feux de bivouac de ses frères Rock et Soul Brothers qu'il aperçoit. Des dérives comme la sienne. À quoi se fixer ? À quel ponton s'amarrer ? Une autre goulée d'alcool. Qu'est-ce qu'il va faire de sa vie ? L'univers se déroule dans l'espace sans un regard derrière lui. Le vent balaye les empreintes. *Never mind*. Ce qu'il y a eu n'est plus.

Il file un brusque coup de volant sur la droite et soulève une gerbe de flotte…

C'est une fatalité. Il descend un escalier de vase vers le grand tourbillon du point final. La solitude en Amérique est en train de lui bouffer la raison. Des décors en carton-pâte plantés dans le paysage. Qu'est-ce qu'il est venu chercher ici ?

Il braque au maximum en pressant à fond l'accélérateur. La voiture fait un tour complet sur elle-même. Glissade lunaire. L'écume retombe sur le sable tel un filet d'argent. Il repart en sens inverse, l'oiseau de feu lancé à plein pot, cravaché par le vent et les embruns.

Au moment où il repère la Jeep de la police qui le talonne tous feux éteints, son ventre se glace. Merde. Le gyrophare bleu. La sirène. Il ralentit. Dégoûté et malheureux. Même plus moyen de s'éclater sans qu'il vous pleuve dessus une sale giboulée. Rappel à l'ordre. La conduite est interdite sur la plage et vu son état d'ébriété avancée il n'a pas la moindre chance de s'en sortir au baratin. Il balance la bouteille de tequila sur la banquette arrière. La Jeep marquée BEACH-PATROL le double sur la droite et se rabat pour lui couper la route. Il voit une énorme tronche de flic lui brailler quelque chose. Son permis de conduire international est périmé depuis trois mois et il n'a pas un sou en poche. Il pile net et pose les mains à plat sur le volant.

Niqué. Baisé. Plumé.

Pas le temps de découper la scène. Tout se précipite. Sa tête tourne. La portière s'ouvre comme arrachée par une bourrasque. Deux mains le saisissent par les épaules et le tirent à l'extérieur. Ses jambes se dérobent. Il s'écroule. Deux autres mains le prennent et il se retrouve allongé sur le capot de la Jeep avec deux mecs qui lui hurlent dans les oreilles en le palpant des aisselles jusqu'aux chevilles. Il en oublie de respirer. Son vertige rentré lui secoue les tripes et il se met à dégueuler droit devant, dans la nuit noire. L'un des flics lui assène un coup de poing dans les reins pour avoir salopé la voiture de service. Il pousse un gémissement.

Un escalier de vase. Et Charlie Watts a les cheveux blancs. « Paul, mon p'tit Paul, pourquoi t'es pas resté devant ta page blanche ! Y a pas de sens à ta vie. C'est queue de poisson et retour de manivelle. Les salauds te tartinent de fiel ! »

Grosse Tronche le retourne comme une crêpe et l'arrose du pinceau de sa torche. Son copain revient en brandissant la bouteille de tequila à moitié vide. Paul se redresse en se tenant le ventre. Il serre les lèvres pour contenir le flot de bile qui lui remplit la bouche. Mais pas moyen. Le torrent de ratatouille gicle sur le plastron de Grosse Tronche. Encore un spasme mais qu'il refoule victorieusement. Gros Flic est dans une rage bleue. Il le vire du capot d'une méchante taloche derrière l'oreille. Quand la poisse vous colle au cul toutes les pentes mènent dans la fosse à merde. Le collègue est tordu de rire, ce qui rend l'autre encore plus furieux. Et évidemment c'est encore Paul qui s'essuie une claque. Finalement Grosse Tronche arrache rageusement de sa ceinture une paire de menottes. Paul tend les bras, presque soulagé. Les bracelets claquent. Il monte dans la Jeep et s'installe à l'arrière. Un énorme fusil à pompe et un casque anti-émeutes sont pendus aux montants. Il est presque dessoûlé. Dommage. Il ferme les yeux, emportant avec lui la queue d'un rayon de lune.

Une poussière de mégots, de cendres et de papiers de chewing-gum couvre le carrelage de la petite cellule grillagée dans laquelle il est enfermé. Un téléphone est accroché à une plaque de bois rivée au mur. Des graffitis... BORN TO DIE... KID TWIST WAS HERE... Une machine à sous occupe l'espace sous le vasistas. Ce doit être une idée du shérif pour arrondir ses fins de mois. Le tableau lumineux de l'appareil est tout dans les violets et les rouges tapageurs et dit en grosses lettres gothiques *LAST CHANCE BINGO*. Paul actionne le levier. Juste pour voir. Rien ne tombe. Il n'a qu'une pièce de vingt-cinq *cents*. Peut-être qu'un type plus audacieux que lui tenterait le gros coup en glissant son ultime rondelle dans la machine. Mais Paul n'a rien d'un héros. Il se tourne vers le téléphone et compose le numéro de Mike.

C'est Bernie qui répond et bon Dieu il prie pour qu'il soit pas trop déjanté. Le Bouffi qui arpente le couloir blafard avec un 44 qui ballotte sur sa cuisse lui a bien signifié qu'il avait droit à un seul appel.

– Bernie ? Écoute-moi bien. Je suis au poste de police de la Seizième Rue et il faut soixante dollars pour me sortir de là. Si t'as pas assez de fric, tu peux voir ça avec Mike. Essaie de faire vite.

– QUOI ! ILS T'ONT COLLÉ AU TROU ! PAUL, NE DIS SURTOUT RIEN ! NE LEUR DIS RIEN ! ILS TE COINCENT SI TU PARLES. ILS SONT COMBIEN ?

Un poivrot se met à geindre dans une cellule voisine. Sa voix résonne sur les murs avec un bruit métallique. Paul essaie de garder son calme et se relance dans son explication.

– Je suis juste là pour conduite sous influence. C'est pas grave. Mais j'ai besoin de soixante tickets sinon je suis au trou pour quarante-huit heures. Tu comprends ça, Bernie ?

– Tous les moyens leur sont bons. Je les connais, Paul. Je sais tout ce qu'il y a à savoir sur eux. Ils prennent tous les masques. Ils ont les appuis qu'il faut, les complicités, le soutien financier et politique…

– MAIS MERDE, BERNIE ! IL S'AGIT PAS D'UN COMPLOT PLANÉTAIRE. JE CONDUISAIS BOURRÉ SUR LA PLAGE ET J'AI DÉGUEULÉ SUR LE COSTARD D'UN FLIC !

Les couinements d'ivrogne reprennent de plus belle. Paul a du mal à entendre Bernie qui chuchote à l'autre bout du fil. À chaque seconde un peu plus parano. Il se rend soudain compte que la situation de Bernie est bien pire que la sienne. Lui au moins, il sait pourquoi il est là.

Il sait qu'il y a trois flics en haut et un en bas, un type qui pleure dans son sommeil et soixante dollars à payer pour foutre le camp d'ici. Du gâteau à côté de Bernie qui se débat tout seul aux prises avec les Puissances des Ténèbres.

– Fais un effort, Bernie. Va réveiller Mike et ramenez-vous avec l'argent. Me laissez pas tomber.

Le bouffi de service s'approche de la grille et fait carillonner les barreaux en promenant sa matraque dessus.

– C'est fini. T'as eu tes deux minutes.

Il mastique une boule de chique qui lui déforme la joue. Du jus noir coule au coin de ses lèvres. Paul lui adresse un regard suppliant.

– Juste une seconde… BERNIE ?

Finalement ils sont arrivés une demi-heure plus tard. Mike et Bernie. Sauf que Bernie n'est pas rentré dans le poste de police. Il est resté dans la voiture à siffloter « *I Shot the Sheriff* ». Pas malin car on pouvait l'entendre depuis l'intérieur.

Quand Paul remonte du mitard, Mike est en train de signer le papier de dépôt de caution, encadré par trois *patrolmen* dont Grosse Tronche qui porte une vareuse immaculée. On voit même encore les traces des plis. La vue de Paul lui provoque une grimace rancuneuse.

– P'tit salopard de Frenchman, crache-t-il. Tu vas me laisser quatre dollars pour le pressing !

Les soixante unités sont allongées sur le bureau de métal gris. Mike jauge Paul du regard puis hausse les épaules et plonge la main dans sa poche.

– C'est tout ce que j'ai sur moi, il dit en défripant trois billets verts.

Grosse Tronche les lui arrache des doigts avec un juron. Les deux autres flics se marrent. Le Bouffi resté à côté de Paul crache par terre. Un

courant d'air fait grincer la fenêtre et le sifflote-
ment de Bernie monte en crescendo. Cet abruti
y met tout son cœur. Paul l'imagine sur le parking
en train de s'époumoner. Mike toussote, mal à
l'aise. Finalement Grosse Tronche jette à Paul
ses clés de bagnole. Il les attrape au vol.

– La marée haute est dans une heure. J'espère
que vous arriverez à temps.

Il éclate de rire.

Paul est déjà à la porte. Il lui reste cinq traites
à casquer avant que l'oiseau de feu soit tout à
lui. Ce serait trop con que le Grand Glauque ait
le dernier mot. Il a un goût atroce dans la bouche,
comme s'il suçait un vieux pansement. *LAST
CHANCE BINGO.*

Bernie les attend en bas du perron. Il est coiffé
d'une casquette de base-ball enfoncée jusqu'aux
oreilles, lunettes noires sur le nez. Une nuée
d'insectes volette autour du néon bleu accroché
à un mât au milieu du parking et à chaque fois
qu'une bestiole passe le grillage et vient se frotter
de trop près on entend un grésillement sinistre.

– Ça pue la mort, ici, fait Bernie. (Il fait mine
de se renifler sous les aisselles.) Ou alors c'est moi.

Mike dévale les marches, en pétard, se frappant
la tête du plat de la main.

– T'es vraiment frappé, Bernie ! Complètement
frappé !

Paul monte devant. La Camaro vieux modèle
toussote avant de démarrer, puis Mike enclenche
une vitesse et rejoint la rue. Derrière, Bernie
s'est remis à siffloter « *J'ai tué le shérif* ». Rythme
reggae.

– COMPLÈTEMENT FRAPPÉ ! Ce mec est vraiment
fou, Paul. C'est pas une blague !

– Tu peux pas accélérer un peu...

– C'est limité à quarante.

– Si je retrouve ma bagnole sous deux mètres de flotte...

– Eh ben, tu l'auras pas volé ! Tu fais comme moi, tu te cuites à la maison et t'as pas d'emmerdes. Vous êtes marrants. Ces types font leur boulot. Y a assez d'accidents comme ça. Quand on se beurre la gueule...

– Ça va, je connais, fait Paul. Boire ou conduire...

Mike s'arrête à chaque intersection bien qu'il y ait pas un chat à l'horizon. Au croisement de la Vingt-deuxième Rue, juste sous le grand panneau publicitaire qui annonce JÉSUS SAUVE, il y a un clodo endormi, les pieds sur le trottoir, la tête dans l'herbe.

– Tu crois pas que Mike aurait fait un bon flic, Paul ? demande Bernie en rigolant.

– Toi, ta gueule ! rétorque Mike par-dessus son épaule.

Bernie cale ses coudes sur le dossier du conducteur. Il a relevé ses lunettes sur le front mais elles lui retombent sur le nez alors qu'il se penche brusquement en avant et embrasse Mike dans le cou. La voiture fait un écart.

– NON MAIS ÇA VA PAS ! TU RECOMMENCES UNE CONNERIE DU GENRE ET JE TE DÉBARQUE !

Paul :

– Fais gaffe. Regarde devant toi. Tu vas nous faire avoir un accident. Même à quarante à l'heure, ça peut être mortel.

– Tu serais flic, Mike, je t'aimerais malgré tout, insiste lourdement Bernie.

– Bande d'enfoirés ! Je suis vraiment un con

de me décarcasser pour des types comme vous ! Je suis trop gentil. Je me fais tout le temps bouffer ! Je pourrais être tranquillement installé devant la télé à siroter une bière ! (Il se tourne vers Paul :) Toi, t'oublies pas que tu me dois soixante-quatre dollars. J'ai pas les moyens de financer tes délires de pleine lune !

— Soixante-trois.

— Ouais, soixante-trois. Et la prochaine fois, t'appelles quelqu'un d'autre.

Ils se charrient comme ça, tout le long d'Ocean Boulevard et jusqu'à la Route 17. La lune a crevé les nuages. Les dunes dessinent de gentilles courbes derrière la rangée de palmiers. Paul essaye de voir par-dessus en se haussant sur son siège. L'océan a drôlement monté depuis tout à l'heure. Pas d'oiseau de feu en vue. Il commence à suer dans sa chemise.

— C'est ce chemin, là, il dit à Mike d'une voix cassée.

La Camaro emprunte le sentier qui passe devant un bungalow sur pilotis et rejoint la plage. L'air du large s'engouffre dans la voiture mais Paul ne le sent pas. Il se dévisse le cou et scrute l'étendue de sable léchée par les vagues. Difficile de se rappeler à quelle hauteur il traçait quand les flics l'ont stoppé.

— De quoi on a tous tellement peur, hein ? demande Bernie dans le vide.

Mike arrête la voiture au pied des dunes. Il se penche et tire de sous le siège une boîte de bière dont il fait sauter la languette. Il s'en tape une lampée. La propose à Paul qui refuse d'un geste de la main.

— Après tout, d'après ce que tu disais tu voulais

foutre ta bagnole à la baille. T'as peut-être bien gagné !

– Je vais vous dire, moi, continue Bernie. On a peur d'être des monstres et de porter le chapeau pour les autres, pour qu'ils entretiennent leur bonne conscience à nos frais. On a peur d'être sacrifiés.

La lune disparaît. L'océan retombe dans le noir. Paul ouvre la portière et pose un pied dans le sable. Il rêvait d'une Amérique... autrefois. Il rêvait d'une Amérique dans sa tête. Il s'éloigne et la voix de Bernie s'accroche un moment à lui. Tenace. Évidente. Un rêve c'est une partie de soi. Quelquefois il n'y a même plus de place pour le reste. Certains rêves vous remplissent des pieds à la tête et on se sent comme une maison hantée avec des planchers qui craquent. Il serre les clés de sa voiture dans son poing fermé. Les phares de la Camaro sont déjà loin derrière lui. Certaines choses ne s'expliquent pas. Les autres non plus. Il n'y a qu'un cinglé comme Bernie pour déceler un brin de raison dans le fond de ses cellules et penser que son suicide pourrait empêcher l'extinction de la race. Heureusement qu'il est là.

Les nuages se poussent, déversant un grand seau de lune sur le décor et Paul aperçoit l'oiseau de feu à une trentaine de mètres devant lui. Les vaguelettes rasent la bagnole de près et le sable s'affaisse sous les roues.

Finalement il n'est pas si malheureux que ça. Il a juste besoin d'un verre... quelque chose de fort.

3

TECHNIQUES DE VOL
ET RETOUR AU BRUTAL

Neuf heures du soir. Un vendredi. Hôtel bourré. Le hall grouillant de touristes en tenue d'été qui marchent en reluquant les vitrines de la galerie commerciale. Des bagagistes en saharienne franchissent en trombe les doubles portes, tirant des chariots de valises et de sacs. Voitures arrêtées devant le porche, limousines, Cadillac. Des panneaux à l'accueil annoncent les réceptions, cocktails et banquets des différents groupes et clubs. Meetings annuels, séminaires en tous genres. Des hôtesses distribuent des badges aux types en costard et attaché-case qui filent droit vers les ascenseurs sans un regard pour leurs congénères en bermuda et chemise hawaïenne.

Le large escalier recouvert de velours rouge et le bar, suspendu à mi-étage, avec ses alvéoles garnies de tables de verre fumé surplombant le hall. La chanteuse arrivée de New York une semaine plus tôt est assise devant un piano droit laqué noir. Elle plaque des accords bluesy… « *No arms can never hold you, babe…* » Personne ne l'écoute vraiment, à part quelques types seuls accoudés au bar et une table de golfeurs ventrus aux faces écarlates coiffés de casquettes portant l'écusson du New Jersey.

Bernie usine comme un dingue. Le shaker, la glace, les verres alignés devant lui, les fruits jetés dans le mixer – « *Banana Daiquiri Tonite Special* ». Les trois serveuses en robe longue arrivent à tour de rôle avec les commandes. Une mini-télé marche en sourdine au bout du comptoir. Sur l'écran, un gus explique d'un air tragique que les émanations de téflon se dégageant des poêles et autres plats ainsi traités pouvaient être fatales aux canaris et aux oiseaux domestiques en général. Le volatile est pris de violentes migraines, puis de nausées et meurt dans d'horribles convulsions. La mort est tapie dans la cuisine. La rapine !

Bernie est assisté de Grayson, un Black à l'œil injecté, toujours entre deux cuites, mais le geste sûr, cool dans le rush, assure-man.

En face, l'entrée du restaurant, et Tonio, le maître d'hôtel napolitain, pile de menus au creux du bras, cavale à travers la salle pour asseoir les clients qui affluent par nuées. Il lance des ordres aux commis, un sourire à gauche, une engueulade à droite. Les serveurs jaillissent par les portes battantes, plateau à bout de bras. Vapeurs montant des assiettes. Effluves de béarnaise, de steaks grillés, de scampis.

Le restaurant est tout en longueur. Vastes baies vitrées avec vue sur la plage. Marée haute. La lune et quelques étoiles. Les flammes des bougies dansent sur les tables nappées de blanc. Reflets sur le cristal.

Paul est vêtu d'un smoking noir à revers de

satin, nœud papillon et chemise plissée. Présentement en train de découper un chateaubriand, le guéridon roulé contre une table de deux. Fourchette à plat sur la pièce de viande, il fait glisser le couteau dans la chair rouge. Le couple le regarde opérer en silence, suspendu à ses gestes. Il a le savoir-faire, le poignet délié du pro. Les assiettes chauffent sur le réchaud à deux feux. La scène est contenue dans un espace magique isolé du reste de la salle où règne une agitation fébrile. Le trancheur procède avec une apparente lenteur mais chaque mouvement est pris à la corde. L'ampleur du geste est mesurée au quart de poil, allongée ou réduite à volonté sans même qu'il ait à y penser. Chaque soirée a son rythme propre, sa température. L'instinct vient avec le métier. Paul pourrait faire son boulot les yeux fermés. Il est ailleurs.

– *So, you're french !* fait la bonne femme en le mangeant des yeux.

La cinquantaine, des cheveux roses, bouffie au gin. Elle repose son drink en heurtant le bord de la corbeille à pain. Une giclée arrose la nappe.

– Oooups ! Pââlez-vous fouançais ?

Le husband balourd sourit jaune au-dessus de sa cravate verte. Il remue sur sa chaise, mal à l'aise, pendant qu'elle part d'un rire haut perché.

– N'est-ce pas qu'il est *charming, darling* ?

Paul sourit mécaniquement. Rien à battre de cette conne. Place les assiettes entre les couverts. Pas le temps d'essuyer le filet de sueur qui lui chatouille la tempe qu'un serveur se jette sur lui.

– Un fettucini à la douze ! T'as trois minutes, j'arrive avec les pâtes !

Plié en deux, Paul démarre. Pousse le guéridon

dans l'allée. Chope une poêle au passage. Tourne devant le salad-bar. Tourne trop sec. Une des roulettes se coince. Le chariot pile net. Le plateau de condiments glisse et le pot de cœurs d'artichaut dégueule sur la moquette. Flaque de jus. Les petites saloperies qui se barrent dans tous les sens. Big Mama, la salad-girl black, glousse dans son tablier à fleurs. Paul lui décoche un regard mauvais. Il est crevé. Les mollets qui le tirent. Les plantes des pieds en feu. Ras le cul de ramper dans son costume à trois cents dollars. La vie est un rêve, alors merde, qu'est-ce qu'on attend ! Il se met à quatre pattes. Ramasse les artichauts qu'il balance haineusement dans le bol de grès. Se relève avec une grimace de douleur. Des étoiles dans les yeux. Pourquoi est-ce qu'il n'est pas assis au pied d'un eucalyptus en train d'attendre l'illumination ? Ailleurs, autrement et autres déraillements. Comme dit Bernie : l'enfer est dans le ventre. Il en a mal au bide de foutre son temps en l'air. C'est fou ce qu'un poète endure !

C'est à ce moment-là qu'il tombe nez à nez avec elle. Elle tient une assiette de salade dans une main. Beaucoup de tomates et peu de laitue. Le piano s'est tu. Un souffle de silence passe sur eux comme un rideau soulevé par le vent. Elle porte une robe jaune canari qui lui tombe aux chevilles. Des seins ronds, lourds, magnifiques, moulés dans la mousseline. Et dans l'autre main une mousse au chocolat.

Des poils de moquette sont collés sur les cœurs d'artichaut. Elle examine le contenu du pot avec l'air de quelqu'un que la situation amuse beaucoup. Du bout des lèvres, fronçant légèrement le nez, elle lui dit qu'elle est au régime. Clin d'œil sur la mousse au chocolat. Mais qu'elle ferait volontiers un écart pour goûter SON fettucini « spécial-moquette ». Il sourit. Se demande pourquoi il aime tellement sa voix, même quand elle parle. Hier en passant voir Bernie au bar il l'avait écoutée chanter « *I Left My Heart in San Francisco* ». De tels accents de vérité dans son intonation qu'il s'était mis à croire à l'histoire pour de bon. Il en était devenu tout triste pour elle. Un homme avait brisé son cœur à San Francisco et depuis elle sillonnait l'Amérique d'hôtel en hôtel, de piano-bar en piano-bar avec un gouffre dans la poitrine.

Là-dessus le serveur accourt avec une assiettée de pâtes qu'il dépose sur le guéridon en râlant.

— Pôôl, please ! La douze attend !

La douze est un mec seul qui sirote une demie saint-émilion en fixant béatement le mur en face de lui.

— On y va ! fait Paul en remuant le chariot pour décoincer la roulette meurtrière.

Il suit des yeux Luci qui s'éloigne vers le Tropico. Descente de reins chaloupant dans le fourreau d'étoffe. Toutes les têtes se tournent sur son passage. Mais bon, boulot oblige. Il cingle vers la douze, flammes des brûleurs couchées sous le vent de la course.

En touillant la crème mélangée aux pâtes, rajoutant du parmesan pour obtenir la consistance exquise, idéale, il a cette image qui lui déboule sur l'écran intérieur. Revenant de Floride, traversant Charleston avec la machine à écrire sous le bras et le sac sur l'épaule. Aube rose. Un cheval bleu longe la voie ferrée. Il se tient à l'entrée du pont suspendu qui enjambe Cooper River quand une camionnette blanche s'arrête. Dedans, deux Blacks habillés tout en blanc, casquette, tee-shirt. Des pots de peinture blanche partout, sur le plateau arrière, dans la cabine, entre les jambes des types encore pris dans les brumes du sommeil. Paul se tasse sur un coin de banquette, s'y reprend à deux fois pour claquer la portière. La bagnole pète trois coups secs et grimpe dans la pente. Le chauffeur ne dit pas un mot. L'autre non plus. Tous les deux ont de la peinture sur les sourcils, les bras. Ils sont dans le blanc jusqu'au cou. Les eaux de la rivière scintillent dans un premier rayon de soleil qui s'entortille à l'enchevêtrement de poutrelles et de câbles. Dès qu'ils ont atteint l'autre rive la voiture s'arrête et se gare sur le côté.

– On va pas plus loin, fait le type au volant.

L'autre a déjà sauté à terre et commence à décharger les pots de peinture. Rien d'autre devant que la plaine. Les marais de chaque côté de la route. « Merde, qu'est-ce qu'ils font ? » Paul descend. Son sac roule dans la poussière. Il est à bout. Pompé. Vanné. Deux nuits sans dormir. Un désert de cactus dans les bottes et du coton sous la langue. Quand il se retourne et qu'il voit le kilomètre et demi de traverses métalliques, de poutrelles croisées sur l'échine d'asphalte du pont, il a un choc. Une enfilade de longerons est déjà repeinte d'un blanc parfait sur une vingtaine de mètres. Il comprend que les deux Blacks sont lancés dans une aventure complètement démesurée. UN PONT ENTIER POUR EUX DEUX ! Comme si l'Amérique les prenait à la gorge et leur disait REPEIGNEZ-MOI EN BLANC ! Un palier de plus à l'enfer. Paul agrippe la machine à écrire, les phalanges sciées par la poignée, et les laisse à leur cauchemar. Dans deux heures, il fera quatre-vingt-quinze Fahrenheit. Il s'éloigne jusqu'à ne plus voir du pont qu'une vague silhouette dans le bleu transparent du ciel. La vision de blancheur ne le quittera pas de la journée. L'avenir est dans ses bottes mais ses pieds sont morts.

Il envoie le commis porter à la chanteuse une mini-portion de fettucini. Le gosse revient avec un papier plié en quatre : « *THANK YOU* ». Et c'est signé Luci avec un « i ». Tonio se plante derrière lui et mate par-dessus son épaule avec un sourire en coin.

— C'est une Sicilienne, tu sais. De l'explosif liquide dans les veines.

Paul hausse les épaules en enfouissant le message dans sa poche. Juste eu le temps d'apercevoir le numéro de chambre inscrit au dos.

— Et alors ?

Plastron bombé, Tonio le nargue.

— On joue avec le feu tant qu'on n'a pas l'incendie chez soi.

Ils sont appuyés au salad-bar. Le restaurant se vide et les serveurs font des tas sur la moquette avec les serviettes et les nappes sales. C'est Tonio qui a appris le métier à Paul. Des rudiments jusqu'aux finesses. L'art de l'assiette chaude et de la flambée dantesque. Pas seulement les gestes mais l'âme des gestes. Tonio voit tout. Il voit à travers les faits les plus ordinaires la petite traînée lumineuse de l'émotion. Paul l'adore pour cette sensibilité qui déborde de lui et qu'il s'efforce de masquer par des attitudes très théâtrales, bouillonnantes. Coups de gueule avec toujours un sourire derrière, une brume de tendresse dans l'œil. Quand Tonio prépare un fettucini, il prend avec lui un bol vide qu'il pose en évidence sur le guéridon. Jambon, gousses d'ail, champignons et au dernier moment, il puise dans le bol magique une poussière imaginaire qu'il fait semblant de saupoudrer sur l'assiette. Le truc marche à chaque fois, c'est-à-dire que la question tombe : « Mais, *what's this ?* » Lui, épanoui comme une fleur, radieux : « *Love, of course. Amore !* L'amour, toujours l'amour ! Un fettucini sans amour n'est qu'un tas de pâtes à la crème ! »

Thanos se joint à eux. Il annonce cent quatre-vingts couverts. Une haleine de chacal qui fait reculer Paul. Thanos a le visage luisant de graisse et de sueur, les poils collés sur les bras. Tablier dégueulasse. Transféré depuis Chicago au début de l'été, c'est un chef de cuisine first class. Le bide ample des buveurs de bière, le cheveu noir et sale, mariné dans le beurre de peau. Et constamment en train de se fouiller le nez d'un doigt méthodique.

Ils discutent tous les trois. Les commis évacuent le linge. Les serveurs redressent leurs tables respectives. Paul vide deux mini-bouteilles de cognac cul sec. Celui qu'il utilise pour les flambées. Son corps vibre encore de la tension accumulée au cours de la soirée. Course non-stop. Dollars froissés empochés avec une courbette. L'odeur de sueur tiède. Les vapeurs de Grand Marnier. Les canards en flammes baignant dans leur jus. Les bananes nappées de sucre fondu. La ronde des visages. Parfums de femmes. Fumées de cigares. Et toute cette puanteur du pognon qu'on gagne jusqu'à la nausée.

Le téléphone sonne à la réception. Tonio part en flèche. Un chorus de piano dérive doucement depuis le bar. Paul attrape une troisième mini-bouteille dont il fait sauter la capsule avec le pouce. Celle-là c'est pour le cran. Il va aller trouver Luci et l'inviter à prendre un verre quelque part. Il va sourire, confiant, sûr de lui. Il va s'accouder au piano et lui dire : « J'ai eu votre mot. Voilà, j'ai pensé qu'on pourrait... »

— Tu viens avec nous dimanche ? demande Thanos. On va pêcher le requin à Pawley's Island. Bob a le bateau de son frangin.

— Je sais pas. J'écris mon roman...

— Ah... Ça parle de quoi ?

— C'est, euh... l'histoire d'un type qui n'arrive pas à écrire un roman justement. Ça l'étouffe. Mais tu vois, il rêve d'une Amérique qui n'existe pas, qui n'existe que dans sa tête. Il court après des brumes, des mirages et il se paume tout le temps. Alors il refait sans arrêt une nouvelle histoire, trace de nouvelles pistes dans le désert, et quand il se met à écrire il est encore emporté par autre chose...

Thanos prend un air sérieusement désolé.

— Tu devrais venir, ça te changerait les idées.

Bowery Bar. Plus tard dans la nuit.

De son tabouret au comptoir, Paul voit la bagnole de police rangée contre le trottoir. L'étoile dorée peinte sur la portière. *HIGHWAY PATROL*. La silhouette du flic. L'ombre du chapeau à large bord lui tombant sur le visage. Le Bowery Bar est l'endroit le plus dégueulasse et le plus mal famé de la ville. Le vice tapisse les murs. Un parfum d'égout en sueur flotte dans la salle.

Bagarres presque tous les soirs. Bouteilles smatchées parmi les hurrahs et les tollés. Queues de billard déchirant l'air moite. Le barman a une 22 LR accrochée au panneau de bois derrière lui. Une vieille avec des encoches gravées sur la crosse. Les deux costauds barbus en poil de chemise qui servent aux tables portent chacun un colt sur la hanche. Le service est compris. Le reste est entendu. Les noises peuvent rapporter des pruneaux. Paul aime bien ce bouge infect. Le vulgaire le délecte. Il reluque en frissonnant des viscères, empuanti et ravi. Il y a le minable groupe de country avec le pianiste cul-de-jatte sur son fauteuil roulant. Les deux filles obèses, sans âge, qui transpirent des bourrelets sous les spots rouges, tortillant ridiculement leur grandiose avalanche de cul roulé dans les paillettes, visage ruisselant de maquillage. Les pochards assis aux tables leur crachent un flot incessant d'insultes et d'obscénités. Trois billards sont à la disposition des clients dans une petite pièce jouxtant la première. Des flaques de lumière jaune pleuvent des suspensions. Brouillard de fumées de cigarettes en suspens. Les cris des parieurs. Les brusques silences. Les bras allongés sur le tapis vert. La queue qui crisse entre les doigts humides. Le choc des boules. Les visages dans l'ombre avec juste le rougeoiement d'une cigarette.

Paul se laisse sombrer dans le tapage et la fièvre, fasciné par sa propre solitude au milieu de ce bouillon de culture fétide. Il ne compte pas les bières qu'il boit. Par principe. Le bock n'est qu'à vingt-cinq *cents*. Quand le billet d'un dollar a disparu du comptoir il le remplace par un autre. Sa chemise lui colle à la peau. Bientôt il n'entend

plus le silence qui chuinte en lui. Ce silence...
Comme lorsqu'on plonge la tête sous l'eau et
qu'on entend une eau lointaine qui s'écoule goutte
à goutte, de partout, de nulle part. Indéfiniment.
Il oublie que sa vie se précipite dans un gigan-
tesque trou noir. Il oublie le vide entre les étoiles.
Galaxies en décomposition s'effilochant à travers
l'espace, suppurant la mort. Deux monstres en
bikini lamé dansent sur l'estrade. Il se noie. Il
s'enfonce. Comme toutes les nuits. Toutes les
autres nuits. Ailleurs semble toujours trop loin
et c'est évidemment là-bas qu'il voudrait être...

– T'as pas l'air d'appartenir ici, mec ! Y a qu'à
te regarder.

Le type le frôle de l'épaule et se hisse sur le
tabouret d'à côté. L'orchestre prend une pause.
Le juke-box gémit une ballade pour bétaillère.
Paul ne tourne pas la tête tout de suite. Envie
de pisser. Il vide son bock d'un trait.

– Tu payes un verre ? Moi, c'est Rick mon
nom...

Il y a la queue devant la porte des chiottes.
Deux filles en débardeur et jupe courte vont de
table en table pour proposer des pipes à cinq
dollars. L'une d'elles a un brillant bleu planté sur
l'aile du nez.

Paul voit le bras du type s'approcher du sien.
Une potence tatouée dessus. Poignet de force
hérissé de clous. Sa gueule ressemble à un bloc
de saindoux piqué de grenaille de fer. Casquette
crasseuse puant le diesel et l'huile de vidange.
Sur le tee-shirt, trois mots qui annoncent la couleur : *« Looking for Trouble »*... « Cherche les
emmerdes. »

Rick est l'authentique « Cou-Brûlé » fouteur de boxon. Bière et baston sont ses gamelles quotidiennes. Évidemment, Paul est toujours en smoking, la chemise déboutonnée, mais la pompe brillante. Rick répète sa question :

– Alors, tu payes un verre ?

Puis crache à terre, juste sous le tabouret de Paul, et s'essuie les lèvres du revers de la main.

L'air se durcit. On dirait maintenant une gelée compacte. Une vraie mélasse. Paul est pris dedans, le poitrail en sueur, l'échine hirsute. Le regard tordu de « Cou-Brûlé » ne le lâche pas, tenace comme une mouche à merde. C'est à lui que ça devait arriver. Il est face au mur. Issues bloquées. Il peut toujours remuer sur son tabouret et prendre l'air absent, détaché. Trop tard pour enclencher la marche arrière. Dead end. La pogne de Rick s'abat sur son bras.

– T'as sûrement assez de fric pour payer un godet à un bouseux comme moi... Je me trompe ?

Reste deux pièces sur le comptoir. Paul fait signe au barman qui a déjà englobé la situation d'un coup d'œil mais fera pas un geste pour adoucir les choses. Paul n'est pas dans sa sphère. « Cou-Brûlé » a complètement raison. C'est la logique de l'abîme.

Derrière eux, bruit de chaises raclant le carrelage. La porte des chiottes claque et un grand rouquin à poil dru sort en se reboutonnant. La fille au brillant bleu s'appuie dans le coin du mur et se torche la bouche avec un kleenex. Une goutte de sperme brille sur sa pommette gauche.

Les bières arrivent. Rick boit la moitié de la sienne et rote en se tournant vers Paul – BEUUURP ! Un coup de vent de fond de poubelle. Paul avale

44

une gorgée. Il sent que sa tête part en arrière dès qu'il cligne des paupières. Bourré. Naze. Envie de pisser et de vomir.

« Cou-Brûlé » inspecte son costard, goguenard.

– Tu fais dans quoi ?

Un hurlement explose dans le fond de la salle, au milieu du verre brisé. Frottement de semelles et remue-ménage. L'un des barbus de service se rue vers les dégâts. Une table retombe sur le bord de l'estrade avec un craquement sonore. Un mec se relève en se tenant l'œil. Le sang pisse entre ses doigts. Celui qui a frappé lâche son tesson et tente de filer par le couloir. Barbu lui fond dessus et le cloue au panneau d'un genou au bas-ventre. Les spots verts et rouges. La poussière soulevée. Un solo de guitare aveugle déchire les flancs du juke-box. Le barman n'a pas bronché. Impassible comme un verre d'eau. Une fille hurle. La porte vole et le flic entre.

Paul glisse de son tabouret, les genoux frêles. Il se dit que c'est la chance de sa vie. Calter avant le jackpot. Et puis, tellement envie de pisser. Mais « Cou-Brûlé » l'attrape par la manche. Paul jette un regard circulaire. Les deux grosses en bikini sont plantées dans une clarté affreuse. Toujours devant son piano, le cul-de-jatte fume une cigarette avec un sourire jusque-là. Le flic avance entre les tables, la paume sur la crosse de son flingue.

– Eh ! Où tu vas, Costard ? Attends, c'est ma tournée.

Paul secoue le bras. Les ongles de « Cou-Brûlé » ripent sur le tissu. Il titube jusqu'à la porte les coudes en avant. Le battant lui frôle l'oreille. Il cherche de l'air. Tombe à genoux sur le trottoir.

Un haut-le-cœur le chavire et il vomit ses tripes.

Le fond cogne à la surface. Tremblement du socle terrestre. La rue gigote dans son écrin. Le mur. Trouver le mur.

Le feu orange grince sur son fil au-dessus du carrefour. Paul traverse. Plus très sûr de l'endroit où il a laissé sa voiture. Les jambes qui décrochent à chaque pas. Tout bouge autour de lui. Les néons du boulevard disparaissent dans son dos avec les derniers traînards sortant des rock-bars. La rumeur de l'océan s'accroche encore un moment à ses pas. Puis s'évanouit. Il remonte la rue en rasant le crépi. Trempé de sueur, malade. Auréole sombre à l'entrejambe. Cherche la plaquette de cachets pour l'estomac dans ses poches mais ne la trouve pas. S'emmêle les pieds. Trébuche. Il tourne au coin d'un magasin d'articles de plage, glissant sur la vitrine noire comme un patineur de cauchemar. Des pans de mur se soulèvent dans l'ombre et retombent sans bruit. La lune tremble au-dessus du réverbère. Bleu nuit dans le ciel.

Enfin sa bagnole. Rangée contre le grillage du dépôt de bus. Il se cramponne à la poignée de la portière pour retenir son vertige. Il enfonce la mauvaise clé dans la serrure. Recommence. Et puis le décor semble se recroqueviller sur lui-même comme dans l'attente d'un coup terrible. Le ciel qui s'effondre sur les toits des bâtiments ou le sol qui s'ouvre en deux. Quelque chose. Un chat tigré feu et noir bondit de sous la voiture en miaulant. Il plonge sous le grillage et déguerpit de l'autre côté.

Paul se retourne.

« Cou-Brûlé » est presque sur lui. Il sourit ignoblement. Ses mains sont à plat sur ses cuisses, calmes, patientes.

– Tu m'as drôlement vexé, tu sais. Quand j'offre un verre, c'est mal poli de me refuser...

Paul ouvre la bouche. Il voit le coup partir mais c'est tout.

Une étoile morte s'écrase sur ses paupières. C'est sa part du gâteau. Il a tout fait pour en arriver là. Le destin le baise et la providence l'encule. Il rebondit contre le grillage qui geint comme un vieux sommier. Le poing de Rick lui défonce le foie. Giclée de lave brûlante dans la trachée. Paul s'affale en gargouillant. Flaire la poussière en bavant une pitoyable écume. Il laisse choir les avirons de sa chaloupe de détresse. Le courant l'emporte.

4

COMME UN TIGRE CONSTIPÉ

C'est ce putain de cauchemar qui le réveille. Toujours le même putain de cauchemar. La cuisine est en plein rush. Brouillard sur les réchauds. Lui, coincé entre son nœud pap et ses souliers à semelles crantées, slalome entre serveurs et cuistots, le plateau à bout de bras avec dessus une tasse de café dans sa soucoupe. Il enfile un couloir après l'autre. Des couloirs à n'en plus finir. De temps en temps, il enjambe le cadavre en décomposition d'un larbin perdu dans le labyrinthe. Tombé en service. Évidemment, c'est l'angoisse. Le café refroidit. Il trotte à petits pas, pour pas renverser le breuvage. La boule à l'estomac. Il arrive finalement devant une porte battante qu'il ouvre d'un coup de pied... et débouche dans une vaste prairie où paissent des buffles à longues cornes. De ceux qu'on voit sur l'enseigne du *LONGHORN STEAK HOUSE*. Son client est installé à une table au milieu de l'herbage et pour l'atteindre il faut encore qu'il swingue parmi les bovins à l'œil noir. Il se paye la trouille de sa vie. Qu'est-ce qu'il faut pas faire pour gagner sa croûte ! Ça y est. Il dépose la tasse sur le napperon en papier. Un peu de café a giclé dans la sous-tasse mais à peine. Un tour de force. Seulement le client est un de ces phoques solitaires et râleurs qui donneraient des idées de meurtre à n'importe quel rameur de brasserie même endurci par des années de patrouille sur moquette. Le salaud palpe dédaigneusement la tasse. CE CAFÉ EST FROID. ALLEZ M'EN CHERCHER UN AUTRE ET CEINTURE POUR LE POURBOIRE ! Paul fait demi-tour, abattu. Il a envie de mourir. La cuisine est à des kilomètres et des kilomètres. Un buffle le charge et manque de l'encorner. Pas de salut. Ou alors... si la vie n'est qu'un songe, peut-être l'espoir de se réveiller...

Il est assis dans le lit, en sueur, le cœur battant. Tremblant et éberlué. La lampe de chevet est restée allumée. Il fume une cigarette. À peine dormi deux heures. Il se lève, enfile un caleçon et va dans la salle de bains. Deux cuillerées de Nescafé dans le verre à dents et il ouvre en grand le robinet d'eau chaude. Vague sourire pour son visage tuméfié reflété dans la glace au-dessus du lavabo. Pas de vraie création sans vraie souffrance. Il n'a pas le courage de s'infliger lui-même l'épreuve de la mortification, alors il en laisse le soin aux spécialistes. Discrétion et anonymat assurés. « Cou-Brûlé » n'a pas fait dans la dentelle mais Paul peut pas se plaindre. Il a écrit quatre belles pages cet après-midi.

Nuages...

C'est le premier chapitre le plus dur, celui qui vous déchire le cul. Il faut pousser comme un malade, cramponné au siège des deux mains, les yeux rivés au mur blafard, couinant comme un tigre constipé.

50

L'art est vraiment la cinquième dimension.

Il boit le Nes' en arpentant la piaule. Va à la fenêtre et écarte les lamelles du store. Deux couples sont assis à une table au bord de la piscine. La nuit les enveloppe. Ils boivent de la bière en parlant doucement. De temps à autre, l'une des femmes glousse en renversant la tête en arrière. L'homme assis en face d'elle lui répond par un rire qui rappelle le bruit d'un lavabo se vidant.

La chambre qu'occupait Bernie a été louée ce matin. Paul a dû diplomater longuement avec madame Warden pour pas être lui-même foutu à la porte du motel. Le rideau de la chambre 8 est descendu aux deux tiers si bien qu'il aperçoit juste deux pieds qui dépassent du lit. Deux pieds immobiles. La lueur bleue de la télé inonde la pièce. Paul reste suspendu à ces deux pieds comme s'il contemplait une nouvelle forme de vie. Ils ont l'air amoureux l'un de l'autre, comme baignés d'une joie silencieuse. Peut-être qu'ils viennent de baiser. Peut-être qu'il n'y a personne d'autre sur le lit. Personne au bout de ces pieds qui regardent la télé en tête à tête. Et puis l'un des deux se frotte à l'autre. Tendrement. Les orteils écartés. Avec une touchante pudeur. Ils sont magnifiques et pathétiques à la fois et Paul ne peut s'empêcher de penser à la tristesse de cet amour impossible. Pour deux pieds qui s'aiment, pas de repos sur cette terre. Où voulez-vous qu'ils aillent ? Quelqu'un va tout à coup se lever, décider d'aller pisser ou autre chose et secouer leur illusion comme une vulgaire poussière. Voilà, les plus belles envolées sont vouées à de tels fracas. Les amants déchirés ont encore l'issue du suicide, mais les pieds...

Presque deux heures du matin. Il se jette sur le lit et essaie de fermer les yeux. Se concentre sur le filet d'air que souffle la climatisation. Il aurait dû téléphoner à Mike et Jill pour prendre des nouvelles de Bernie. Il est pas venu au boulot depuis deux jours. Il se ferait une parano monstre à cause d'un article du *Time* commentant une vague de meurtres entre New York et Atlantic City. Tous en relation avec les intérêts de la Mafia. Bernie est persuadé qu'il est sur la liste noire. Le toubib lui a pourtant augmenté ses doses de lithium. Mais possible que son esprit ait dépassé le seuil du non-retour, qu'il soit barré pour de bon dans la folie pure. Les drogues l'assomment un moment. Il marche au ralenti, dans une sorte de douce somnolence et puis retombe pile dans son trip. Sursaute à la moindre sonnerie de téléphone. Roule des yeux égarés quand il entend une portière de voiture claquer sous la fenêtre. C'est Jill qui lui a raconté tout ça. Il l'a rencontrée au supermarket. Elle a l'air de mal supporter la présence de Bernie chez eux. La maison dégage comme un poste à haute tension miné par les courts-circuits. Mike et elle sont en état d'alerte vingt-quatre heures sur vingt-quatre. Maintenant Bernie exige de fouiller les copains qui débarquent pour s'assurer qu'ils sont pas armés. Comme il dit : « La main qui est dans ta poche, c'est peut-être celle qui va te tuer. »

Quand tombe la nuit, Bernie se met à avoir peur de son ombre. Il cite l'exemple d'un gangster célèbre que son ombre aurait balancé aux flics pour toucher la récompense. Voilà sa théorie : il y aurait un complot planétaire contre les forces de l'Amour. Mafia et CIA marchent main dans la main avec les Romains d'Amérique pour déstabiliser le pouvoir en place et installer aux commandes du pays des hommes à eux, des « Ombres Puantes ». Pour opérer un contrôle efficace, ils doivent évidemment supprimer les Bernie-Christ dans son genre. À n'importe quel prix.

Combien de temps Bernie va encore garder son job ? Point d'interrogation. Ça tient du tour de force. L'autre soir Paul l'a trouvé bouclé dans les chiottes. Affolé. Déphasé. Grayson, l'aide-barman, le cherchait partout. Mais Bernie avait repéré un tueur de la Mafia dans le hall. Il était blême de trouille, tassé dans un cabinet avec l'avenir de la planète suspendu par un fil au-dessus de sa tête. Muet. Hagard. Paul l'emmène vite fait dans les vestiaires et essaye de le raisonner. Bernie ne veut rien entendre. Secoue la tête comme un malade. Le front ruisselant de sueur froide, épaisse. Terrifié jusque dans ses pompes. Paul appelle Grayson par le téléphone intérieur et lui demande de joindre Mike illico pour qu'il vienne prendre Bernie par l'entrée du personnel. Sortie discrète. Évacuation d'urgence. Tout ça pendant qu'une demi-douzaine de serveurs en surchauffe appellent un Captain invisible dans un restau comble. Tonio poussant deux guéridons à la fois, sautant d'un fettucini à une crêpe suzette en maudissant ce fumier de Paul qui s'éclipse en plein rush...

Dernière cigarette. Deux heures du matin. Paul froisse le paquet vide et le lance à travers la chambre. Et puis contemple bêtement la machine à écrire. Ce foutu roman lui glisse entre les doigts comme un glaçon trempé dans l'huile. Des tas de notes sur feuilles volantes, de carnets, de plans griffonnés sur des nappes en papier qu'il trimballe dans un carton à chaussures depuis des années en se disant chaque jour qu'il est prêt à s'y mettre, que cette fois ça y est, il le tient. Ouais ! et qu'une belle phrase lancée en roue libre l'emmènera de l'autre côté des sables mouvants. Lui, au volant de son roman, les cheveux au vent, désinvolte, délivré enfin de ce galop infernal qui patine dans sa poitrine, qui lui martèle les tripes à le faire hurler.

Il écrase son mégot. Se relève. Tourne en rond. Se dit qu'il pourrait marcher jusqu'à la cabine du coin de la rue pour appeler Mike. Mais après tout la détresse le rend merveilleusement sociable, marrant même après quelques verres...

La nuit promène un filet d'air frais sur le boulevard. L'oiseau de feu ronronne en rasant l'asphalte. Pourquoi faut-il toujours qu'il se tape le pire scénario de sa vie ? Il se reluque dans le rétroviseur. Paupière mauve et pommette écarlate. Une gueule de vrai kamikaze du Glauque. Il rembobine le film des événements et se passe la version soft. Celle où il aurait vaincu son trac au cognac et serait allé trouver Luci. Nonchalamment accoudé au piano, il allume dans ses prunelles les warnings du désir. Elle craque et se met à chanter pour lui tout seul. Le bar se dépeuple. Le reste du monde se retire dans les coulisses... « Summertime... when the livin' z' easy... » Comme dans un rêve... ils sortent au bras l'un de l'autre. Sa robe de mousseline fait des étincelles quand Paul l'effleure. Bar chic avec lumières tamisées. Sourires et brumes dans les yeux. Flou artistique. Cocktails roses dans des verres bleus. Ils boivent à l'amour, à la douceur de vivre et leurs genoux se frôlent sous la table. Paul ricane bêtement, une main sur le volant, l'autre passée par la portière. Le film s'arrête net. Luci s'évanouit. Les routes qu'on ne prend pas, où vont-elles ? Est-ce qu'il y a beaucoup de types comme lui qui passent autant de temps à rêver des versions différentes de leur existence ? La gueule saccagée de « Cou-Brûlé » revient s'imposer à lui. La réalité, c'est ce qui reste quand on a vidé la baignoire : un cercle de crasse sur l'émail blanc.

Il est déjà bien bourré en arrivant chez Mike. Un arrêt au mini-mart ouvert toute la nuit pour s'acheter des cigarettes et une bouteille de Wild Irish Rose à quatorze degrés qu'il a presque vidée en route.

La musique marche à fond la caisse. Du monde derrière le rideau de fumée. L'âcre odeur de l'herbe lui pince les narines. Jill lui décoche un clin d'œil envapé.

– Well, Pôôôl !

Jill est roulée comme une saucisse de cantine et son short affiche complet. Une bouille adorable avec un petit nez rigolard. L'amour en personne.

– Mais, qu'est-ce que t'as à la figure ?

– Rien. J'ai raclé un peu de bitume l'autre soir…

Mike accourt, la canette à la main. Un mordu du six-pack, Mike. Se déplace jamais sans un stock de bières fraîches sous le siège de sa bagnole. Ils se serrent les doigts. Quelqu'un a baissé la musique. Mike se tourne vers la bande d'écroulés :

– Hey ! C'est l'écrivain français !

Une vague de paupières se lève mollement dans la pénombre.

Trois filles enfoncées dans le canapé. Deux mecs à cheval sur le dossier en train de sucer un pétard maousse. Un autre aplati sur la moquette qui bourre une pipe à eau. Une grande bringue avec des dents qui ressortent et le reste qui rentre, assise près de la fausse cheminée avec la fausse bûche. Mike entraîne Paul vers la cuisine à grands coups de claques dans le dos. C'est surtout là que ça bouge. Thanos est entouré d'un fan-club de collégiennes bronzées-rôties qui l'écoutent bouche bée évoquer les îles grecques. Bob aussi est là. Et puis Jim, Cynthia (la plus belle paire de seins du coin), Billie le space-cowboy, Chad, Dave-destroy, Beckie grosses-lèvres... Paul attrape un verre en plastique et se sert une tequila pample-mousse avec un nuage de grenadine. Mike repasse dans le salon. Il le suit. La musique s'est remise à donner à plein et ils doivent littéralement se hurler dans les oreilles pour s'entendre. Bernie dort dans la chambre du fond, nazé au Valium après quarante-huit heures de flip non-stop à grimper aux murs, à se ronger, à hurler aux ombres. Ça devient franchement invivable pour eux. Il parle de se dégotter un flingue, argumen-tant que Jésus ferait pareil à sa place. Mieux vaut deux balles dans le chargeur qu'une dans le buffet, disait saint Paul aux épicuriens.

Bernie fait peur aux voisins. Les clébards cou-chent les oreilles quand il frôle les jardinets de son pas de fugitif traqué. Il veut planter sa croix devant la maison et convoquer la presse locale pour sa crucifixion. Mike appuie son récit de grands gestes désordonnés. On dirait un épouvan-tail dans un champ de betteraves. Il vide sa ca-nette cul sec et en chope une autre dans la glacière posée contre le mur. Si c'était un autre toubib, Bernie aurait déjà été expédié à l'asile. Mais doc Goofy est un cas à part. Un ancien junk qui a traversé les sixties en écumant les festivals pop avec sa trousse spéciale overdose. Le Schweitzer des tribus de la piquouze. Rayé de l'ordre des médecins pendant cinq ans pour prescription abusive d'amphétamines et de barbituriques. En bref, un type à qui on peut se fier, et ils courent pas les rues de nos jours...

Un grand frisé leur tend un stick d'herbe locale qui sent la luzerne brûlée. La conversation commence à dériver au gré des courants. Mike savoure cette trêve dans la tempête-Bernie. Il décompresse. Sa pomme d'Adam saute à la corde tandis qu'il déglutit sa énième canette les yeux levés au plafond. Il va d'un groupe à l'autre en balançant des vannes. N'importe quoi. Il sait plus ce qu'il dit. Il tangue. Vu son état, la soirée a dû commencer tôt. Un rire de nana fuse du canapé. Paul se retourne pour voir une paire de jambes battre en l'air. Et puis le frisé l'accroche pour lui annoncer fièrement qu'il a lu-tout-Sartre. Comme si ça devait le concerner. Il s'esquive. Trace vers la cuisine rafraîchir son drink. Là, Dave lui narre ses dernières galères avec une mine désespérée. Les années-dope lui ont laissé de tristes sillons sur le portrait. Un drapeau qui a fini de claquer au vent. Dave, c'en est un qui n'a jamais réussi à atterrir. Il continue à décrire des orbes au-dessus de sa vie, un moteur grillé, la carlingue déchirée. Tout croule sous lui. Petite-mort, c'est son nom d'Indien. Paul jette deux glaçons dans son verre. Dave s'appuie sur son épaule et écrase une larme. Son vieux clebs est mort et sa femme a tenté de se suicider.

– S'est jeté par la fenêtre, il explique en reni-
flant.

– Merde !

– Mon chien, il précise. Suzy… c'était le gaz.
(Silence. Trou d'air. Dave vacille.) C'est de ma
faute…

– Pour ta femme ?

– Non. Pour mon chien.

Thanos tient toujours en haleine ses groupies.
Il est adossé au frigo et grandiloque d'une intaris-
sable verve.

– Eh ! Paul ! Tu connais toi, Naxos ! C'est pas
la plus jolie petite île du monde ! HEIN ?

– J'en avais marre de le voir jouer avec sa
vieille balle pourrie, complètement bouffée, poursuit Dave. Alors je sors lui en acheter une neuve,
tu vois. Ça me prend comme ça. ET JE SORS
EXPRÈS ! Je me dis que je vais lui payer une putain
de balle neuve. Il va être content. Un chien
qu'est-ce que ça a comme joies dans la vie, hein ?
Pas grand-chose. Je me dis, là il va se sentir
important. UNE BALLE NEUVE, c'est quand même
un sacré truc dans la vie d'un clebs…

Thanos :

– CE BLEU ! Hein, Paul ? CE BLEU ! Y a que
là-bas qu'on voit un bleu pareil ! Pas bleu, ÉME-
RAUDE !

Dave secoue la tête.

– Une putain de balle neuve ! Il est mort à
cause de cette sacrée putain de balle neuve à
cinquante-neuf *cents* ! Je rentre, tu vois, et je me
dis : j'ai fait quelque chose pour lui. Je veux dire
pas seulement lui filer sa pâtée, non, j'ai vraiment
pensé à lui. J'ai cherché le rayon des balles pour
chiens et j'ai pris mon temps pour choisir. La

couleur, l'élasticité, enfin tout, jusqu'à demander au vendeur son avis sur la question. Tobby a une gingivite et il peut pas mâchouiller n'importe quoi...

– Des criques où il y a personne ! On peut se baigner à poil. C'est pas vrai, Paul ? Il faut voir ça, les filles ! LE PARADIS SUR TERRE !

– Je rentre et je prends sa vieille balle dégueulasse pour la foutre à la poubelle, tu vois, et puis je me dis non, y a peut-être un pauvre clébard des rues qui la trouvera géniale, tu vois, un pauvre pelé qui traîne et passera un bon moment avec. Alors, j'ouvre la fenêtre et je la balance aussi loin que je peux cette vieille merde de balle...

– LE PARADIS ! Je vous emmène à Naxos, mes biches, et vous verrez si Thaños raconte des mensonges ! Paul ! Quand est-ce qu'on part ? Les filles sont d'accord !

– ET CE CON SAUTE APRÈS ! Il saute après la balle ! L'habitude, tu comprends. Je la jette, il rapporte. Mais là, putain... quatre étages en chute libre. Écrabouillé sur le parking. Les reins cassés. Il est pas mort tout de suite. Je te jure, Paul, il pleurait comme j'ai jamais entendu quelqu'un pleurer. Et moi, là-haut, avec cette sacrée putain de balle neuve dans la poche ! Pourquoi ? Mais pourquoi, merde ?

Les nanas rigolent autour de Thanos qui plastronne la chemise ouverte, les poils en bataille et qui commence à jauger les paires de fesses d'une main experte de spécialiste en demi-gros. À part une à peu près potable, les autres filles ont le cul bas et le regard aussi expressif qu'un bol d'ice-cream.

Dave a les larmes aux yeux. Il serre la clavicule

de Paul et se passe la main dans les cheveux en gémissant :

– Pourquoi à chaque fois que je veux faire un truc bien pour quelqu'un ça tourne au drame ? HEIN ? POURQUOI, MERDE ! Je voulais lui faire plaisir et ça l'a tué. Il est mort à cause d'une saloperie de balle neuve à cinquante-neuf *cents* qu'il aura même jamais mordu dedans ! Et j'aurais pu tout simplement la jeter à la poubelle l'autre vieille merde de mousse, hein, mais non, il a fallu que j'essaie encore de faire plaisir, que j'ouvre cette putain de fenêtre et que...

– Qu'est-ce que tu bois ? demande Paul.

– Vodka-citron vert.

Il lui verse une double dose de Smirnoff. Dave se mouche dans ses doigts et s'essuie sur son jean.

– Si j'avais pas pensé à lui, je veux dire, si j'avais fait comme d'habitude, il serait encore vivant. COMMENT ILS FONT LES GENS ? Ils pensent qu'à eux, c'est ça ? Il leur arrive pas de merdes parce qu'ils pensent qu'à leur cul ? C'est ça ?

– C'est peut-être pas aussi simple, Dave. C'est pas de ta faute ce qui est arrivé. La confiance ça peut tuer, tu sais, même chez les humains.

– MAIS COMMENT EST-CE QUE J'AI PAS VU ÇA AVANT ?

– T'es pas dans la peau d'un chien. Tu peux pas penser comme un chien.

– Alors, à quoi je suis bon ?

Jill se faufile jusqu'à eux. Elle voit l'air tragique de Dave et :

– Il t'a raconté pour Suzy ? C'est terrible, non ? C'est vrai que tu connais pas Suzy. Une chic fille. Va savoir ce qui a pu lui passer par la tête. Moi, le suicide, c'est pas mon truc. Un bon joint et j'envoie le blues au loin. Qu'est-ce que vous buvez ? Y a de la coke qui tourne dans le salon si vous voulez...

Elle les quitte aussi sec et chaloupe vers Jim et Cynthia qui se tripotent gaiement. Cynthia s'est hissée sur le bord de l'évier. Son cul magnifique a glissé dans l'un des bacs et Jim a une main coincée entre ses cuisses. Elle serre les genoux en gloussant. Il pousse pour avancer plus avant. Elle ouvre les genoux. Elle gémit. La veine bat au cou de Jim. La fièvre monte.

– Eh ben, mes cochons ! s'exclame Jill. Et moi alors ?

Jim lui entoure la taille de son bras libre et la mordille dans le cou. Cynthia se met à beugler :

– MIIIIKE ! VIENS UN PEU VOIR CES SALAUDS !

À ce moment quelqu'un éteint la lumière. Sûrement Space-cowboy parce que Paul le voit filer dans l'autre pièce. Dave pleurniche toujours dans le creux de son épaule.

– Tu sais ce que m'a dit Suzy deux jours avant... Elle m'a dit que je sentais la catastrophe, que j'avais qu'à toucher une fleur pour qu'elle pourrisse sur pied. Je me demande si elle a pas raison...

– Attends deux secondes, dit Paul. J'ai une crampe. Faut que j'aille m'asseoir.

Il abandonne Dave sur son îlot de malheur noyé de pénombre. Retour au salon pour pister la brune éméchée qu'il a repérée tout à l'heure. Il aimerait bien finir la nuit à baiser. De toute façon, pas la peine qu'il pense à écrire après tout ce qu'il a bu. Il croise Beckie grosses-lèvres. Elle lui demande :

– T'as pas vu mon verre ? C'est le troisième que je perds.

Il lui demande :

– T'as pas vu une brune avec un tee-shirt rouge ?

Et ils s'éloignent l'un de l'autre comme deux voiliers démâtés sur une mer agitée.

La fille est introuvable. Mike voit pas de qui il veut parler. Bob non plus. Elle est peut-être partie. Il sort sur la véranda. Des couples se bécotent dans les coins. Un type couché par terre qui ronfle. L'odeur des pins et la nuit moite qui colle à la peau. Des insectes accrochés à la moustiquaire. Les pulsations des grillons. Son verre est vide.

– Il paraît que t'écris aussi des poèmes... C'est Mike qui m'a dit.

Paul dévisage la grande bringue. Il a une seconde d'hésitation. Sans les dents elle serait baisable. Elle sourit et découvre l'ensemble de la chose. La taille d'un pare-chocs de Buick.

– Je suis en deuxième année d'écriture créative à USC, elle continue. Je me demandais... enfin, qu'est-ce qui différencie le poète du romancier ? Je veux dire, c'est une disposition d'esprit naturelle ou un travail conscient sur le potentiel créatif ?

Paul contemple songeusement le vide qui emplit son verre. Quelqu'un l'a déjà dit, écrire c'est faire un tas...

– Il y a les constipés et puis il y a ceux qui ont la chiasse, mais l'un dans l'autre... Enfin, c'est une image bien sûr...

Elle en reste clouée sur place. Paul retourne dans la cuisine, tout ragaillardi d'avoir accouché d'une telle vérité. Il est bon de temps en temps d'avoir un avis définitif sur les choses. Ça aide à se centrer. Tequila-pamplemousse-grenadine. Il n'y a plus de glace. Tant pis. La lumière est rallumée et Thanos emballe une petite bouclée en minijupe. Elle a des cuisses comme des jambons de Virginie et des boutons sur la gueule. Au moins Thanos a les doigts autre part que dans son nez, occupé à lui farfouiller les rainures sans aucune retenue.

L'ambiance est en train de virer à l'orgiaque. Cynthia a les seins sortis du justaucorps. Jim lui suçote les bouts qu'il a barbouillés de yaourt à la fraise, ce qui fait marrer tout le monde. Space-cowboy, Chad, Bob et même Dave qui est calé entre le buffet et la porte et tire comme un malade sur la pipe à eau. Paul a beau faire, il ne se sent pas dans le coup. L'âme morose. Il pense à Luci. Trop tard pour aller frapper à la porte de sa chambre. Quel numéro déjà ? 408... 412... Un coup d'œil à la pendule accrochée au mur. Cinq heures du matin. Une fumante brûlure d'estomac lui rappelle qu'il n'a rien avalé de solide de la journée. Élaine était toujours prête pour une partie de baise du temps où elle était sur sa liste. Et s'il lui faisait le plan du come back...

Il inspecte le placard à la recherche de crackers. Tombe sur une boîte de biscuits pour chiens Dog-Chow. Dave lui tend la pipe à eau avec un rictus de constipé et lâche un filet de fumée par le nez. Paul passe son tour. Un regard par-dessus son épaule. Il attrape une assiette sur l'égouttoir et vide la moitié de la boîte dedans.

– Eh, t'en veux ?

Paul fait semblant de mastiquer et déglutit avec un large sourire. Le grand frisé qui a lu-tout-Sartre prend une poignée de biscuits et se les enfourne.

– C'est pas bon de picoler sans rien bouffer. C'est comme ça qu'on se rend malade.

Le frisé opine. Et puis son mouvement de mâchoires se ralentit tandis qu'une expression bizarre s'empare de son visage. Paul renchérit :

– Celui que j'ai préféré, c'est *La Nausée*.

Il fait le tour du salon. En moins de trois minutes, il a tout le monde en train de bouffer des biscuits pour chiens, continuant à bavarder le verre à la main. Tous tellement schlass et déjantés, bouche pâteuse, gestes flous, qu'ils s'aperçoivent de rien. Jusqu'à ce que le spectre d'un malaise commence à flotter dans la pièce. Échange de regards hésitants, ombrageux. Paul ne bronche pas. Il boit son verre à petites lampées, régalé par le spectacle. Que ce soit en littérature, en politique ou en biscuits les gens avalent n'importe quoi.

La musique s'arrête sur les derniers accords de « *Lay Down Sally* » et tous les yeux sont posés sur lui. C'est la grande bringue qui le sauve. Elle se pend à son bras, tout sourire, du gâteau plein les dents, ramasse les trois derniers biscuits qui traînent dans l'assiette et fait :

– JEEEZZZ ! Sont vraiment DÉLICIEUX !

Le ciel a des pertes bleues et roses. Paul jette son mégot par la vitre et examine la petite maison de bois à un étage sise de l'autre côté de la rue. Des geais bleus tournent au-dessus du toit en jasant bruyamment. La voiture d'Élaine est garée dans l'allée. Il se dit qu'il a une chance sur deux pour qu'elle dorme seule. Ni plus ni moins. Près de trois mois qu'il n'a pas donné de nouvelles. Pour une surprise… De toute manière, il est bien trop secoué pour envisager que son plan puisse virer à l'aigre. Il est de ces moments magiques où l'on survole les réalités avec une crédulité et une légèreté d'oiseau ivre; où l'on fraye dans le sillage de la démence et de l'irrationnel sans douter une seule seconde que le monde vous appartient. Soucis existentiels balayés. Rien d'autre que l'instant présent détaché de la masse temporelle et scintillant pour vos beaux yeux comme un diamant hors de sa gangue. Une aube sublime perle à travers les arbres. Tout est permis. Paul chope la bouteille de Wild Irish Rose couchée sous le siège et descend le vin qui reste. Fabuleux gorgeon. Il ouvre la portière d'un coup de pied et s'élance à la rencontre de la providence...

Bien sûr la fenêtre de la cuisine n'est pas verrouillée et bien sûr le châssis glisse sans bruit. Il passe le haut du corps par l'ouverture et pousse sur ses jambes. Bascule sur le ventre. Et bien sûr se coule parmi verres et assiettes empilés sur l'évier sans rien faire tomber. Il traverse le salon obscur en évitant le coin de la table et la pile de disques à même le sol. Monte l'escalier sans qu'une seule marche craque... et bien sûr, quand il sent l'odeur du corps endormi, qu'il entend un souffle régulier frémir doucement dans l'ombre, il sait qu'il n'y a personne avec elle.

Il se tient sur le seuil de la chambre. Il ne bouge pas. Elle dort enroulée dans un drap mauve, un bras replié sous la tête, les cheveux en désordre lui couvrant la moitié du visage. Un peu de clarté l'arrose. Paul se déshabille et fait un tas de ses fringues devant la porte de la salle de bains. Maintenant, il est debout près du lit. Chaque geste et chaque respiration qu'il prend enfoncent lentement sa ligne de flottaison dans l'océan intime d'Élaine. L'espace d'un instant, il croit voir Luci. Est-ce que c'est ça qui le fait tellement bander ? Il évite soigneusement la réponse. TOUT EST PERMIS… Il s'agenouille et soulève précautionneusement le drap. Elle remue, roule sur le ventre, enfouit le nez au creux de l'oreiller. Il tire le drap jusqu'à ses chevilles. Elle doit sentir comme la caresse d'une brise. Paul contemple la pâleur lunaire de son cul. Son dos et ses cuisses sont d'un brun profond. Il se place au-dessus d'elle avec la délicatesse et la grâce d'une pluie de duvet. Il la chevauche. Le sommier grince à peine. En appui sur les avant-bras, ses poings creusant le matelas, il descend en rase-mottes. Ses muscles sont tendus à lui faire mal. Contact. Élaine pousse un grognement ensommeillé. Il respire son odeur. Ce parfum d'après la nuit. Il plie les bras et son ventre épouse ses fesses rondes. Il pose les lèvres sur sa nuque. Le grain de peau tressaille mais elle dort toujours. Il creuse les reins. S'avance, s'enfonce entre les poils. Paul a l'impression de baiser le songe d'une nuit d'été, de pénétrer la face cachée de la lune. Élaine commence à bouger sous lui. Imperceptiblement d'abord, puis plus nettement. Il entend bientôt sa paupière battre contre l'oreiller comme un papillon de nuit heurtant un abat-jour. Il glisse dans son ventre. Elle crie. Il la défonce.

Ils sont allongés sur le dos, trempés de sueur, haletants. Un rai de soleil traverse le milieu du lit. On dirait une épée de lumière couchée entre eux. Paul se sent une âme de chevalier pour entamer cette journée. La magie l'a accompagné jusqu'au bout. Il est complètement dessoûlé, l'esprit en paix. C'est ça... rien d'autre que la paix de l'esprit. Le repos. Tout va bien... jusqu'à ce qu'il se remette à penser à son impossible roman. Il y a sans doute quelques bons écrivains en lui, capables de torcher une histoire en seize chapitres avec épilogue, mais aucun n'arrive à la cheville de celui qui se tait et garde le silence. Du haut de sa falaise l'écrivain pêche à la ligne avec un vieux ruban de machine à écrire. Nuit. Des poissons-lunes sautent hors de la vague. Élaine doit sentir son agitation parce qu'elle lui demande :

— À quoi tu penses ?

— À rien...

— Rien ?

— Je me disais que le bonheur est à portée de la main...

5

STEAK AU POIVRE SUR...
LA PLANÈTE DES MONSTRES

Soirée plutôt calme. Quatre-vingts couverts au restaurant et rien à signaler. Paul discute peinard avec Bernie et Grayson en jetant des regards de plus en plus appuyés vers Luci qui susurre dans le micro : « *Everybody loves somebody...* » Une demi-douzaine de tables d'occupées et deux couples installés au bar. C'est là que Johnny West débarque. Il est accompagné d'une pute de la bande à Gloria. Une rousse de six pieds de haut moulée comme une Formule un et qui roule en pleins phares.

Johnny est bourré, comme d'habitude. Bourré et graveleux, comme toujours. Il ressemble à une bétonnière coiffée d'un chapeau texan et chaussée de bottes mexicaines. Costard de toile beige et chemise western à boutons de nacre. Entre les bottes et le chapeau il y a la place pour plusieurs baquets de scotch & soda. Johnny écluse comme une bête. Les barmans de Crescent l'appellent Saint John et c'est un honneur. Il est rare d'être canonisé de son vivant. Johnny est millionnaire.

Johnny est malheureux, comme tous ces types qui rient trop fort et se cassent la gueule dans les tabourets de bar en jurant que la vie est un bocal de cerises et qu'il y a qu'à se servir.

Bernie lui sert un double Chivas. Bernie est okay ce soir. Valiumé jusqu'aux yeux. Il a juste de temps en temps un regard d'eau trouble pour sonder les clients de l'hôtel qui montent du hall ou sortent du restaurant. À quoi pourrait ressembler un tueur de la Mafia ? Bref, la fille commande un gin-fizz. Johnny parle très fort. Il parle toujours très fort. L'habitude de sillonner les champs de tabac en Land Rover en gueulant des ordres à ses métayers, ses « niggers » comme il les appelle. Il possède plusieurs centaines d'acres de pur virginie et un paquet d'actions dans la compagnie Winston-Salem. Un haras dans le Kentucky. Et ce putain d'hôtel qui est à lui. Le terrain et les murs. La société Hilton se chargeant de faire tourner la baraque. Il est chez lui ici. Peut mettre les pieds sur la table, cracher sur la moquette et peloter les serveuses. Personne n'a rien à dire.

Grayson :

— Alors m'sieur West, quoi de neuf ?

— Rien que des sept et des huit, Grayz'. L'ordinaire. (Il attrape le bord du tabouret de la fille et l'attire à lui.) Eh ! Qu'est-ce que tu penses de cette poupée, Grayz' ? (À la fille :) Comment tu t'appelles, déjà ?

Elle, avec un sourire crispé :

— Déjà. Disons que je m'appelle Déjà. Pour ce que tu as à me dire ça suffit, non ? (À Grayson :) Ça fait bien cinquante fois que je lui dis mon nom ce soir. Trop soûl pour s'en rappeler.

Johnny éclate de rire.

– Ah ! ah ! Elle est bonne, celle-là ! Okay, Déjà. Ça me plaît. T'as du caractère. Si t'as autant de répondant au plumard, j'sens qu'on va s'entendre toi et moi. Alors, Grayz', comment tu la trouves, Déjà ?

– Très jolie, m'sieur West...

La fille hausse les épaules avec une moue blasée. Johnny avale son verre d'un trait et le pousse vers Grayson qui lui refait un plein.

– Sans glace, Grayz'. Eh ! Qui c'est cette fille au piano ?

– Luci Baldi, m'sieur. Elle vient de New York.

Johnny repousse son chapeau en arrière et se caresse la panse. Ses yeux vitreux laissent passer une lueur d'intérêt. La pute pêche un paquet de menthol dans son décolleté et glisse une cigarette entre ses lèvres. Bernie lui offre du feu. Et puis Johnny se met à brailler :

– HEY ! LUCI ! TU CONNAIS « EN PISSANT DANS LA NEIGE » ?

Sa voix de soûlard résonne comme un coup de tonnerre. L'un des couples assis au bar règle sa note et se tire. Déjà pouffe de rire. Grayson lance un regard anxieux vers Bernie. Johnny vide son deuxième Chivas et pousse sa gueulante :

– J'AI ÉCRIT TON NOOOM EN PISSANT DANS LA NEEEIIIGE...

Luci lui balance un regard surgelé et continue à jouer. Bernie se penche au-dessus du bar :

– M'sieur West... soyez gentil. On a une association de pasteurs presbytériens dans l'hôtel.

– Oh, merde ! il lâche en se mordant la lèvre inférieure. J'suis désolé les gars. J'vais chanter autre chose...

Bernie insiste :

— M'sieur West... S'il vous plaît...

— J't'aime bien, tu sais, Bernie, il fait en dressant un index péremptoire sous son nez. Et en plus de ça je suis quelqu'un qui peut avoir de la classe et de la considération... Il suffit de demander. (Il avance son verre vide vers Bernie.) Tiens, tu m'en remets un autre. Qu'au moins je meure pas de soif !

Déjà fume son clope, l'air ailleurs, prodigieusement désintéressée par ce qui se passe à côté d'elle. Elle a à peine touché à son drink. Pas là pour rigoler, juste pour faire la soirée et repartir avec un rouleau de dollars.

Johnny s'est tourné pour faire face à la table derrière lui où quatre vieilles tortues de sexe indéterminé sirotent des boissons exotiques dans de longs verres à pied bleu pâle.

— OUAIS, PARFAITEMENT ! s'égosille-t-il. DE LA CLASSE ET DE LA CONSIDÉRATION ! ÇA VOUS ÉTONNE ?

Bernie allonge son scotch à Johnny. Cette fois il prend un ton suppliant :

— M'sieur West... *Pleeeaase*...

Paul est toujours à l'autre bout du bar quand un drôle de bonhomme s'assoit au comptoir et commande une bière à Grayson. Il est coiffé d'un chapeau mou à bord étroit. Costume bleu roi poussiéreux. Un visage sec et anguleux aux rides très douces et des petits yeux gris qui dégagent une sorte de brume mélancolique. Il a posé à ses pieds une sacoche de cuir, genre étui de caméra, et regarde fixement devant lui sans ciller. Bernie lance un coup d'œil inquiet dans sa direction. Un éclair suspicieux traverse sa prunelle. Ensuite, Johnny l'appelle et lui demande de téléphoner à la réception pour qu'on lui monte sa clé de chambre.

Luci termine « *My Way* » en faisant vibrer la toile des haut-parleurs. C'est l'heure de sa pause de vingt minutes. Paul passe un doigt entre son col de chemise et sa gorge, respire un bon coup et trace droit vers le piano d'un pas décidé. Spot. Silence. Moteur. On tourne. Luci referme sa partition et le regarde approcher avec un petit serrement au cœur, prête pour la scène de drague. Paul lui plaît assez. Le genre de mec réservé, discret, pas frimeur, qui la repose de tous ces branleurs de bars qui la baratinent à longueur de soirs.

— Merde ! C'est pas vrai ! fait Paul.

Tonio hausse les épaules, fataliste. Évidemment, c'est pas lui qui se tape la corvée.

La grille du restaurant est déjà tirée et tous les serveurs sont partis.

Tonio :

— Tu sais comment il est…

— Si je sais ! Ras le bol d'être traité comme un larbin !

— Qu'est-ce que tu crois qu'on est, répond Tonio avec un sourire indulgent.

La porte battante vole et Thanos déboule le doigt dans le nez. Il jette deux entrecôtes crues dans la poêle sur le guéridon et annonce que cette fois les frigos sont cadenassés, qu'une nana l'attend en bas et que de toute façon il en a marre de voir leurs gueules. Là-dessus, Tonio lui dit d'aller se faire mettre comme ils font dans sa Grèce dégénérée, ce à quoi Thanos réplique que les Ritals ont la langue bien pendue mais les couilles mal descendues et qu'ils sont tout juste bons à baiser leur mère...

Paul laisse derrière lui le séculaire conflit méditerranéen et pousse le guéridon jusqu'à la grille. Il est plus de minuit. Il a la mort dans l'âme. Une seule envie, celle d'aller se coucher. Il ne sent plus ses jambes.

Johnny West a eu le malheur de se rappeler qu'il avait oublié de dîner. Résultat, il appelle Tonio. Deux steaks au poivre flambés (avec beaucoup de cognac, il précise) et préparés dans sa piaule. Paul pleure sur sa misère en attendant l'ascenseur. Le quatorzième étage est en fait le treizième. Il descend le couloir et frappe à la porte de la chambre 1408.

C'est Déjà qui lui ouvre. Elle est roulée dans une serviette éponge et porte des traces de griffures sur la joue.

– Ce con a voulu me violer !

Paul se fend d'un sourire navré.

– Je résistais pas Enfin, merde, j'étais là pour ça ! Mais un vrai enragé, j'te jure, il me cognait dessus et tout ! J'crois bien qu'il me prenait pour sa femme !

Paul abaisse le regard sur les entrecôtes rouge vif couchées dans la poêle. La pute lui fait :

– Ben... rentre.

Elle recule dans la chambre et il fait rouler le guéridon jusqu'au pied du lit. Johnny est allongé en travers. La table de nuit est renversée. Il y a un pied de lampe par terre, fil arraché, abat-jour crevé. Des glaçons fondent sur la moquette.

– Je crois... que je l'ai assommé... Il était comme dingue...

Silence. Déjà se mord l'intérieur des joues en

tordant la serviette entre ses doigts. Il entend sa respiration devenir de plus en plus oppressée, puis elle éclate en sanglots et se jette dans ses bras.

— Tu te rends compte de ce que j'ai fait ! Qu'est-ce qu'il va m'arriver ? Il va me tuer quand il va se réveiller ! Si je me sauve il va aller trouver Gloria et c'est son mec qui me donnera une correction ! J'ai plus qu'à me flinguer !

Paul lui caresse mécaniquement les cheveux. Les larmes le chatouillent en ruisselant dans son cou. Elle est collée à lui. Son odeur. Sa chaleur. Ses rondeurs.

— Qu'est-ce que c'est ton nom ?
— Brenda.

Paul la repousse doucement. Elle a les yeux rouges et des traînées bleues sillonnent son visage. Elle hoquette et ravale un bock de larmes.

— J'ai plus qu'à me flinguer ! elle répète.

Il examine Johnny. Pas de sang. Le souffle calme d'un endormi profond. Des comas éthyliques il en a plusieurs par semaine. Après tout, avec une bonne mise en scène...

— Tu vas m'aider ? demande Brenda.

Elle essuie ses yeux avec un pan de la serviette. Il voit sa touffe noire.

— T'es pas une vraie rousse...

Elle se mord la lèvre.

— T'aimes pas ?
— Si. Les deux couleurs te vont bien.

Il a écrasé le poivre vert. La poêle est à cheval sur les deux brûleurs et dégage une chaleur d'enfer. La sauce est déjà prête dans un bol : concentré de bouillon de bœuf délayé dans deux cuillerées de crème semi-épaisse. Il lève les yeux. Brenda a déshabillé Johnny et lui a passé un peignoir. Le bougre n'a pas réagi. Mou et flasque comme un baquet de gélatine. Un hématome violacé strié de veinules roses lui orne le frontal. Maintenant, il est adossé contre la tête du lit, un sourire abruti sur sa grosse gueule bouffie. Lui manque plus qu'un exemplaire des contes de Grimm ouvert sur les genoux pour que le tableau soit parfait. Paul décapsule deux mini-bouteilles de cognac. Il y a vraiment des situations qui s'inventent pas. Livide et tourmentée, Brenda est assise à côté du gros, toujours roulée dans sa serviette. Elle fume une menthol qui tremble entre ses doigts. La télé marche en sourdine. Rediffusion de *La planète des monstres*, un film d'horreur-fiction japonais. Des bestioles préhistoriques se déchirent la couenne dans un décor lunaire parcouru d'astronefs.

Paul balance les entrecôtes dans la poêle et les inonde d'alcool. Une belle nappe de feu orange et bleue danse la gigue sur la viande qui grésille. Il envoie une mini-bouteille sur le lit.

— Passe-lui ça sous le nez…

Ce qu'elle fait. Sur l'écran un type en combinaison d'amiante arrose au lance-flammes un dinosaure furax qui crache des jets de vapeur verte. La fin du monde vient de commencer. Paul aurait bien besoin d'un verre.

Johnny se met à grogner et remue les jambes. Brenda sursaute et pousse un cri de surprise. Johnny soulève une paupière. Johnny secoue la tête comme un poids lourd après un K.-O. Johnny énorme et ridicule, ficelé dans un peignoir deux fois trop petit pour lui. Johnny qui émerge…

— Hey ! Johnny ?

C'est Brenda qui l'appelle d'une voix mal assurée. Le regard de Johnny fait deux fois le tour de la pièce puis il porte une main à son front en plissant les paupières. Les steaks flambent dans la poêle. Johnny se redresse sur un coude. Johnny perplexe. Johnny essayant de piger le contexte.

Brenda lui tend la mini-bouteille. Il la prend. Il s'ébroue et l'avale d'un trait.

Paul se lance :

– Ça va, m'sieur West ? On a eu un peu peur en vous voyant tomber du lit et vous cogner la tête sur la table de nuit. Juste sur le coin. C'est mauvais les coins. Mais c'est pas un petit coup comme ça... hein ? Une compresse d'eau froide et un bon steak derrière. Surtout un bon steak. Rien de tel pour remettre les idées en place.

Johnny tâte sa bosse en grimaçant. Un filet de bave dégouline sur son menton. Une sale ombre plane dans son regard.

– T'étais là ? Tu m'as vu me casser la gueule ?

Paul :

– Absolument, m'sieur West.

– Sur le coin de la table, hein ! il fait en se tournant vers Brenda.

La pute opine convulsivement du chef et roule des yeux égarés. Mauvais second rôle. Pas crédible pour deux ronds. Johnny a la respiration qui siffle. Il balance la mini-bouteille vide contre le mur. De toutes ses forces. CRAAASSSHHH !

Brenda :

– Il... était là, Johnny... J'te jure... il était là... Il t'a vu tomber...

Paul couche les entrecôtes dans les assiettes et les nappe de sauce. On entend en bruit de fond les rugissements affreux des monstres préhistoriques. L'agonie. Johnny sonde ses méninges à la recherche d'un lambeau de mémoire. Il caresse à nouveau sa bosse et pousse un juron. Paul éteint les brûleurs et fait le tour du guéridon. Brenda se ronge les ongles. Elle lui adresse un sourire crispé tandis qu'il pose son assiette sur la table de nuit, à côté des couverts et de la serviette en papier.

Johnny ne le quitte pas du regard, silencieux et glacé comme un alligator qui guette sa proie. Le chope par le poignet quand il arrive à sa portée. Paul allonge l'autre bras pour atteindre le chevet et laisser glisser le plat. Une haleine de putois lui balaye les narines. Johnny le fixe de ses yeux injectés.

— Tu m'as vu tomber, HEIN ? TU M'AS VU ?

Paul ne répond pas. Le con lui écrase les articulations. Il serre les dents. Un flux glacé lui remonte dans le bras. Il plie les genoux.

Johnny :

— Qu'est-ce que ça change... Tu peux pas savoir... PEUX PAS SAVOIR...

Gros plan. Paul voit la sueur perler au front de Johnny, suivre le renflement de la bosse et descendre dans les sourcils.

— Vous me faites mal, m'sieur West...

Brenda :

— Lâche-le, Johnny. Qu'est-ce que tu as ?

— Bien sûr que je te fais mal, Paul. Mais on a tous mal quelque part. C'est pas vrai ? Là au moins tu sais d'où vient ta douleur. T'as une chance infernale...

Brenda :

— Johnny ! Lâche-le... Il t'a rien fait !

— TA GUEULE !

Paul s'agenouille, le poignet tordu entre les phalanges blêmes de Johnny West. Johnny qui livre un combat contre ses démons intérieurs. Johnny qui voudrait bien que quelqu'un paye l'addition à sa place.

– Quand on se voit en face, Paul... Dans la glace... Le trou qui s'agrandit... QUI S'AGRANDIT... La mémoire qui se barre à reculons. Tu peux pas savoir tout ça...

Paul :

– Peut-être que non...

– Johnny ! Tu me fais peur..., gémit Brenda en se poussant vers le bord du lit. Je te préviens, je vais m'en aller.

Sans lâcher Paul, il balance sa main libre à toute volée derrière lui. Trop court. Il manque la fille. Ses doigts percutent bruyamment le cadre du lit. Brenda hurle et bondit sur ses jambes.

– ET MON FRIC, SALAUD ! ET MON FRIC !

La télé crache un cri de terreur animale en projetant sur le mur des ombres rouges et vertes. Johnny garde son calme. Il sourit même.

– ET MON PUTAIN DE FRIC, JOHNNY ! TU M'AS BAISÉE, ALORS DONNE-MOI MON FRIC !

Elle ramasse sa robe qu'elle plaque contre sa poitrine. La serviette glisse le long de ses hanches jusqu'à terre.

Johnny hausse vaguement les épaules. À Paul :

– Tu connais Jenny ? Tu connais ma femme, hein ?

– ...

Brenda, de rage :

– FUMIER ! SALAUD ! J'AURAIS DÛ T'OUVRIR LE CRÂNE !

Et elle file dans la salle de bains dont elle claque la porte.

SLAAAM !

– Eh bien, c'est une salope, continue Johnny. Ma femme est une salope !

– ...

– Ne dis pas que t'es désolé, Paul. C'est ce qu'ils disent tous. C'est pas ta femme pour que tu sois désolé, c'est la mienne. Je la dégoûte, tu vois. JE LA DÉGOÛTE ! Fort, non ? Mon argent la dégoûte pas mais moi je la dégoûte. N'importe quelle pute vaut mieux que ma femme ! N'IMPORTE QUELLE PLANCHE-À-BAISER-SUCEUSE-DE-NÈGRES VAUT MILLE FOIS MIEUX QUE MA FEMME ! ET C'EST MA FEMME, TU COMPRENDS !

Paul sent l'étau se desserrer sensiblement. Il se redresse pour voir Brenda qui leur arrive dessus en brandissant un gros cendrier en cristal. Décidément c'est la soirée verre brisé.

DAMNED !

Le machin siffle entre les couches d'air et vient éclater sur le mur, à dix centimètres au-dessus de la tête de Johnny.

Pluie de verre.

La pute exécute un demi-tour sur les talons et disparaît de leur vue. Courant d'air. Le rideau vole.

Silence. Johnny s'affale sur les oreillers, les yeux au plafond, épuisé. Paul se relève. Masse son poignet. Les steaks au poivre refroidissent sur les tables de chevet. Le jingle d'un spot publicitaire fuse de la télé dans une gerbe d'éclairs bariolés. Et il voit soudain les éléments du décor se décoller de la réalité. Flotter dans le vide comme des enveloppes creuses, absurdes, factices, incapables de masquer l'abîme plus longtemps. La reproduction ringarde accrochée au mur. Le chapeau de Johnny sur la table. La fenêtre ouverte sur le désert halluciné de la nuit américaine. Vide. Vide. Johnny ferme les yeux et dit :

– Il reste du cognac dans ton chariot ?

Paul hoche la tête. Foireux et rageur en même temps. Des hommes, des hommes, des hommes, et le mensonge qui s'écoule à travers eux. Eau sale dévalant la rue du non-retour. Il décapsule une mini-bouteille et la vide cul sec. C'est la dernière. Johnny peut aller se faire enculer.

En traversant le hall pour gagner le parking, Paul tombe sur le drôle de bonhomme aperçu au bar plus tôt dans la soirée. Il est assis sur une banquette, jambes croisées, regard perdu au loin. Sa sacoche de cuir est posée à ses pieds. Il n'y a personne en vue à part le réceptionniste noir qui somnole à l'accueil appuyé sur un coude. La pendule au-dessus de lui marque une heure trente. Costard bleu roi ne cille même pas quand Paul coupe son champ de vision. On dirait une île déserte battue par des flots invisibles.

Luci... Luci...

Des carrés de lumière brillent sur la façade de l'hôtel. Paul les observe en grillant une cigarette dans sa voiture et essayant de situer la fenêtre de Luci. Peut-être qu'elle dort peut-être pas. Peut-être qu'elle pense à leur rendez-vous de dimanche prochain. Peut-être que des types comme lui elle en a à la pelle et que ça n'occupe pas deux secondes dans ses pensées. Peut-être que tout le cinéma qu'il se fait est voué au bide absolu. Si ça se trouve, il va s'y prendre comme un manche, tomber dans des silences débiles et lui faire peur avec ses idées morbides.

Le mini-golf attenant au parking fonctionne en nocturne. Un gros bouddha de plâtre est planté au sommet d'une butte de ciment ornée de fausse végétation. Il a des yeux fluorescents qui lancent des éclairs. Des spots l'éclairent par en dessous. Les allées nappées de sable rouge serpentent entre une douzaine d'autres figures supposées représenter le cheminement de l'homme à travers les âges. Un velu des cavernes avec gourdin, un conquistador, Buffalo Bill, Abraham Lincoln. Couronnant le tout, en lettres lumineuses, tel un diadème, le nom du parc : LA QUÊTE DE L'HOMME.

Paul jette sa cigarette par la vitre. Des silhouettes courbées avancent lentement en poussant une petite boule blanche qui monte et descend les tortillons semés d'embûches. Au-dessus, le ciel toujours plus vaste et plus sombre. Étoiles lointaines. Il pense à Johnny West qui cuve son whisky du fond de ses trous de mémoire et le bouddha lui adresse un clin d'œil complice.

Son regard vient sonder la façade de l'hôtel. Une fenêtre s'éteint au quatrième étage. Peut-être celle de Luci. Elle a tout de suite accepté quand il l'a invitée à dîner. Il a même cru percevoir une flamme dans ses prunelles, comme un feu qui disait « Jette-toi dans mon brasier ». Paul se ronge l'ongle du pouce. La vie le pousse mais vers quoi ? Il se verrait bien en train de planter des tomates dans un coin de jardin et cultiver le bonheur. Après tout à quoi ça sert d'être un poète maudit ?

6

BRUIT BLANC

Il a apporté une bouteille de vin français mais pas de tire-bouchon. Il est dans la chambre de Luci. La nuit tombe. Le rideau est à moitié tiré et on aperçoit à travers la vitre coulissante le Grand Glauque et son rouleau. Paul ne veut pas se faire repérer dans l'hôtel. C'est son jour de repos et il y a toujours le risque de tomber sur le directeur qui sauterait aux conclusions en le voyant sortir de chez Luci. Interdit de frayer avec le personnel ou les clients. Le règlement est formel. Bref, plutôt que de descendre au bar, il prend un portemanteau en ferraille dans la penderie, le détortille, le retriture et s'en fait un outil de fortune.

Il finit d'enfoncer le bouchon avec le doigt. Luci ressort de la salle de bains avec deux verres. La soirée s'annonce bien. Ils repêchent les morceaux de liège qui flottent dans le chablis en rigolant et le vin aidant, chacun commence à sortir des pièces de son puzzle, à raconter des petits morceaux d'existence. Des données lancées au hasard. Des petites sondes qu'on envoie. C'est très important les premières phrases échangées entre un homme et une femme seuls dans une chambre. Ça peut quelquefois unir leurs destins... ou les séparer à jamais. C'est un coin à part dans le langage.

Elle est ravissante. Ils sont assis côte à côte sur le mini-canapé adossé au mur. Paul détaille son visage tout en parlant. De grands yeux noisette. Des mèches blondes coiffées dans tous les sens. Elle porte une robe blanche avec des boutons sur le devant et serrée à la taille. Une taille extraordinairement fine. Tout comme ses jambes. Il se met à bafouiller un peu et rougit. Elle sourit, amusée.

– Où j'en étais ? il fait.

Elle tire gentiment sa robe sur ses genoux.

– Tu me racontais ce qui t'avait amené en Amérique...

– Ah oui, c'est ça.

– Et tu examinais mes jambes, ajoute-t-elle très vite.

Il baisse les yeux, les oreilles chauffées à blanc.

– Ça n'a aucun intérêt...

– Quoi ? mes jambes ?

– Non. Je veux dire... ce qui m'a amené ici.

– Au contraire. J'adore savoir ce qui fait bouger les gens. Moi, mon père a quitté l'Italie quand il avait vingt ans. Pour fuir le chômage, la pauvreté. On lui avait dit : en Amérique il n'y a qu'à se baisser pour ramasser des dollars. Tu parles. Il est arrivé à New York en vingt-neuf. Quelques jours avant le krach financier. Il a même vu un type se jeter par une fenêtre dans Wall Street. Je trouve ça courageux de partir pour un autre pays. De tout réapprendre. Les choses les plus simples.

Mon père ne s'est jamais habitué au pain américain. À chaque repas il se mettait en colère à cause du pain. Même le soi-disant *pane italiano* qu'il achetait dans le quartier était toujours trop mou. C'est une question de fours. (Elle rit.) Tous les repas commençaient pareil. Il clamait que s'il y avait du chômage en Amérique c'était à cause du pain. Ce n'était pas du pain de travailleur. Juste du pain à sandwich et qu'un peuple ne pouvait pas avoir d'idéal avec un pain pareil. Dans l'immeuble, on nous prenait pour des communistes. Finalement il a attrapé un ulcère à l'estomac et il a fallu l'opérer. Évidemment il disait que c'était à cause du pain mais nous on savait que c'était à force de se mettre en colère juste avant de manger.

Il remplit à nouveau leurs verres. Luci continue à parler. Brooklyn. Long Island. Ses débuts au piano et les leçons de chant. Elle a un débit incroyablement rapide et il doit s'accrocher pour ne pas perdre le fil. C'est le flot yankee. Rien à voir avec la lenteur du Sud. Il case deux ou trois bribes de phrases pendant qu'elle boit son chablis à petites gorgées. Oui, elle aussi adore les huîtres cuites à la vapeur. Il connaît un restaurant typique près de la passe du Fantôme gris. *HURRICANE SEAFOOD HOUSE*. Tenu par une famille de Blacks. La big mamma aux fourneaux et les gosses qui assurent le service. Elle revient à New York. Les clubs où elle a commencé à chanter. Un show télévisé. Elle a laissé passer sa chance. Trop de concessions à faire, explique-t-elle. Il faut donner sa voix, son look et son âme pour devenir une star. Après ça elle est suspendue à ses lèvres quand il lui raconte la pêche au requin de ce matin. Ses yeux pétillent...

Il retrouve la bande à la Marina de Pawley's Island. Aube vert pâle. Le ponton trempé de rosée. Vapeurs montant des marais. Bernie et Thanos arrivent avec une lessiveuse pleine de déchets de viande récupérés à l'hôtel. Bob et Dave sont debout à l'avant du bateau, déjà en train de picoler de la bière. En fait de bateau c'est plutôt une espèce de longue barque goudronnée. Un centimètre d'eau huileuse dans le fond et deux moteurs de vingt chevaux crachant une fumée noire par toutes les fissures. L'attirail de pêche est sanglé sous les bancs de traverse avec deux carabines 22 LR. Ils attendent Mike qui se pointe le dernier puis larguent les amarres. Bob au gouvernail, visière de casquette au ras des sourcils et barbe de deux jours, l'œil marin pointé sur la barre écumante qui moutonne là-bas. Jusqu'à la sortie de l'estuaire, c'est du petit-lait mais après la flotte vire au violet colérique qui n'augure rien de bon. Paul essaie de se convaincre qu'il n'a pas à se faire de mouron. Une vraie aventure d'hommes ça ne peut que le tremper dans l'émotion pure. Les grandes terreurs qu'on terrasse. Limites repoussées. Il écrira ça un jour et le ruban de la machine sera mouillé d'adrénaline. Ouais ! et la page blanche sillonnée d'ailerons noirs. C'est autre chose quand même que de décortiquer des petites crevettes littéraires pour les faire sauter au beurre doux. Il tire sur le joint que lui passe Mike. Dave charge une carabine en lui expliquant qu'il faut abattre le requin avant de le hisser à bord. Celui qui accroche la bête doit aussitôt être ceinturé par les autres pour ne pas être jeté à la baille. L'embarcation est trop petite pour la pêche au gros. Même pas de fixations pour maintenir la canne. Les bières défilent. On parle peu. Mike hameçonne un gros morceau de lard au bout d'une ligne. La barre se rapproche avec l'odeur et le mouvement du large. Les vagues ne tardent pas à soulever l'étrave avec de grandes claques sonores. Paul refuse le deuxième joint. Il regarde la viande bleue grouiller dans la lessiveuse sous les trépidations du moteur. De plus en plus difficile de refouler le malaise qui lui torture le ventre. Thanos lance une ou deux blagues avec un éclat de rire nerveux. Son rictus ravagé ne trompe pas. La Grèce a les foies. Il est accroupi au milieu de la barque, patraque. Bob a les mâchoires serrées, le regard fixé sur la proue qui monte et descend les montagnes russes de flotte vert-mauve. C'est Mike qui donne le premier coup de pouce au destin en envoyant à la mer deux pleines poignées d'abats sanguinolents. Bernie l'engueule. Bernie, livide, qui a juste le temps de se tourner dans le sens du vent pour gerber son petit déjeuner. Lui aussi s'attendait à une sortie pépère sur une bonne grosse vedette tout équipée. Il faut dire que Bob a le don de l'exagération. Paul aurait dû se douter. Trop tard maintenant pour se mordre les doigts. Dave est soûl. La 22 au creux du bras, un pied sur le caisson arrière, il scrute les flots d'un œil flou. Bernie se couche sur la bâche crasseuse, évitant de regarder le mur de flotte qui les déborde sur l'arrière et menace de noyer les moteurs. C'est du gros temps, pas de doute. Drapeau rouge. DANGER. Même pas un gilet de sauvetage dans cette foutue barque. Mike essaye de suivre le tangage, jambes écartées, une main accrochée à la dame-nage, l'autre tenant la canne à la verticale.

L'hameçon se balance au-dessus de la tête de Paul avec son horrible bout de bidoche d'un blanc glaireux. Il commence à se dire qu'il n'est pas fait pour les aventures d'hommes. Qu'est-ce qu'il a à prouver ? Rien. Se dépasser ? Conneries. Dépasser quoi, dépasser qui ? « À QUOI BON CONNAÎTRE LA PLACE DE L'HOMME DANS L'UNIVERS SI CET HOMME EST MORT », dit le proverbe. Bob lance un coup d'œil par-dessus l'épaule. Une meute de vagues au museau poussif harcèle le cul du rafiot. Les moteurs s'emballent. La barque plonge alors dans un creux impressionnant. Paul s'agenouille dans une flaque de graisse, le cœur à l'envers. Les odeurs mélangées de fuel et de viande pourrie lui font monter une nausée compacte qu'il bloque de justesse dans la glotte. Le ciel noircit à vue d'œil. Trois pélicans les survolent à basse altitude. Paul : « JE NE SUIS PAS UN HÉROS ! » S'il avait son *liquid paper* il effacerait toute cette scène illico et s'installerait à la terrasse d'un bar peinard pour écrire ses deux nuages quotidiens. Ce dingue de Dave puise encore dans la lessiveuse. SCHLAK ! Un paquet de déchiquetures viandeuses par-dessus bord. Suffit qu'une vague les prenne par le travers et c'est la chavirade. Pour peu que les Dents de la Mer glandent vraiment dans ces eaux, ils feront un excellent breakfast pour squales. Au tour de Thanos de vomir ses œufs au bacon et ses deux bières du matin. Il plie les jambes et s'affale comme une grand-voile. Défait, abattu. Bob crie quelque chose que personne n'entend. Il a perdu son look loup de mer pour adopter la contenance équipée-sauvetage. La partie de pêche est annulée, c'est clair. Le tout est de faire demi-tour sans trop de dégâts. La barque cogne et rebondit sur le dos des vagues. Les éléments se déchaînent. À bâbord, à tribord : la mort. Ils sont tous trempés, ruisselants, gelés de trouille. À part Dave. Bourré comme il est, il exulte, il tempête, il barrit. Canon de la 22 pointé sur le Grand Glauque en pétard. Bob monte sur la crête d'une vague et vire soudainement à quarante-cinq degrés pour filer sur l'arête. Les hélices accrochent bien et le bateau a l'air de voler. Paul sent ses boyaux se balader affreusement dans son ventre. Des paquets de flotte lui mordent le visage et ses genoux lui font mal. Il essaie de pousser sur ses bras pour faire passer un peu de son poids vers le haut du corps quand Bob donne un nouveau coup de barre à bâbord. La barque dévale comme une flèche le toboggan liquide. Mike lâche sa canne dans un cri et bascule en arrière. Bernie le rattrape de justesse par la ceinture. Paul voit l'hameçon frôler son oreille en sifflant et la ligne disparaître dans l'eau violette. Dave aussi se casse la gueule. La dame-nage lui est restée dans la main. Il s'écrase sur Thanos qui pousse un braillement préhistorique car en même temps la lessiveuse se renverse et l'arrose de déchets de bidoche. C'est une mêlée hirsute de bras, de jambes et de cris.

— Et alors ? fait Luci au comble de l'excitation.

Paul annonce gravement :

— C'est là que j'ai vu les ailerons.

Il remplit leurs verres et allume une cigarette.

— Trois ailerons noirs dans notre sillage. On descend au creux de la vague et ils se mettent à tourner autour de nous.

C'est vrai qu'il a un talent fou pour les descriptions apocalyptiques. De saisissement, Luci se cramponne à son bras et l'étreint sauvagement. Une pluie de chablis tombe sur le tapis. C'est comme si elle y était. Les requins sont dans la chambre. L'océan déchaîné rugit et tourbillonne.

L'un des requins est venu cogner contre la coque et Paul à ce moment-là a bien failli chier dans son froc. Dave s'est déjà redressé. Il braque la 22 sur la bête et fait feu. Ça bouillonne rouge. Ce qui rend les deux autres complètement fous. Bob hurle à Dave d'arrêter ses conneries mais l'autre barjo éjecte la douille d'un mouvement sec et tire une deuxième fois. La barque tangue un méchant coup et Paul a une vision plongeante sur une paire de mâchoires en train d'arracher un morceau de ventre blanc. Il est aux limites de l'extrême, transi, surmené et comme n'importe quel absurde soldat à l'approche de la mort, le clip de sa vie défile à toute allure dans sa tête. Rien de bandant, mais une vie on y tient quand même et la perspective d'un adieu prématuré à ce monde de douleur fait reluire les souvenirs les plus ternes d'un éclat neuf. ET SI DIEU EXISTAIT? Même un type sans idéal comme lui a droit à un joker. Il voudrait crier que l'Éternel est son berger, oui, mais qu'il veut rester sur terre à brouter la pelouse. Il n'est pas prêt pour le grand saut. Merde non. La mémoire saigne et se débat. Il est de son côté.

Luci se colle contre lui, toujours cramponnée à son bras, trépignant comme un enfant impatient de connaître la suite. Sans même s'en rendre compte il lui entoure la taille. Ses doigts palpent le terrain, suivent la courbe de la hanche et subitement il sait plus où il en est.

Le bateau rebondit sur le Grand Glauque. Le

ciel et l'eau font claquer leurs fouets. Il revoit la minute bénie où ils ont franchi la barre et pénétré dans le chenal. Il a craché un bol de salive amère et respiré à fond plusieurs fois de suite. Bob a souri. Un énorme sourire de la taille d'une baleine.

Mais non, il sait plus où il en est. Il ne pense plus qu'à une chose : embrasser Luci, la faire fondre sur sa langue et s'imprégner d'elle. Les requins sont loin, retournés en eau profonde.

Il termine son verre et le pose entre ses pieds. Sa main remonte dans le dos de Luci et va se nicher au creux de sa nuque.

— J'aurais été morte de peur, dit-elle après un instant.

Elle frissonne et sourit. Paul réplique :

— Moi c'est maintenant que j'ai peur. Chaque matin on livre le même combat pour recommencer le monde mais c'est tellement une habitude...

— Oui ?

Il secoue la tête.

— Là c'est différent. Avec toi je suis bien.

— Je croyais que tu avais peur.

— C'est une bonne peur. Plutôt le trac. J'adore cette robe jaune que tu portais l'autre soir...

Elle ne répond pas. Elle plisse les yeux et se laisse aller contre lui. Paul continue à lui masser doucement le cou sentant les muscles mollir sous ses doigts, essayant de s'imaginer à quel pays peut bien ressembler son grain de peau. Il fait ça souvent. Comme si ses mains caressaient une nouvelle terre et que la nature du sol devait lui révéler les caractéristiques du pays. Une femme parle avec sa peau. Il suffit de savoir écouter.

— J'adore ça.

— Quoi ? elle demande.

– Ton duvet d'oiseau, là, dans ton cou. Tu me fais penser à...

Elle plisse le front.

– Je ne suis pas un oiseau.

C'est fou ce qu'on peut dire comme conneries quand l'émotion vous serre à la gorge. Un brin de vent soulève le rideau. L'océan est sombre. Juste le coton blanc des vagues qui s'effiloche à perte de vue. Elle tourne le visage au ralenti. Ses lèvres s'entrouvrent.

Il l'embrasse encore dans l'ascenseur, dix minutes plus tard, entre le quatrième et le troisième étage. Leur image dans la glace de la cabine est un parfait cliché de bonheur. Il a beau se creuser depuis tout à l'heure, impossible de dire à quel pays elle ressemble.

Elle n'est pas dans l'atlas.

Ciel immense. Nuages lents éclairés par la lune. Paul éteint les phares. Ils descendent de voiture et marchent jusqu'au ponton qui s'avance au-dessus du marais. Derrière eux les ombres des magnolias sont parcourues d'une foule de brèves étoiles : pulsations de lucioles en rut.

La légende veut qu'un cavalier fantôme annonce la venue des ouragans en dévalant au triple galop la route qui longe la passe. En son temps le spectre-météo devait être d'utilité publique mais le télégraphe et les observations satellites lui ont piqué le job. S'il se manifeste encore c'est probablement sans grande conviction, par désœuvrement, pour tuer le temps.

Luci s'accoude à la rambarde et regarde vers les lumières de Crescent qui scintillent de l'autre côté de la baie. Un poisson saute hors de l'eau.

Un chien aboie au loin. Quand la vie y met un peu du sien... Même les étoiles ont quelque chose d'humain ce soir. La voix de Paul coule comme du sirop d'érable sur des pancakes et Luci fond telle une noix de beurre. S'il avait essayé d'écrire une scène pareille il n'aurait jamais trouvé les mots. Ce qu'un homme et une femme peuvent se dire par une nuit de lune est un mystère pour lui. Il s'imagine en train de hurler de silence devant la page blanche. L'enfer est d'une blancheur effarante ! Alors il se serait rabattu sur une description abusive des bruits et sensations. Coassement des crapauds. Un battement d'ailes au cœur du feuillage. Leurs deux ombres (celle de Luci et la sienne) poussées l'une vers l'autre par les puissances secrètes de la nuit. Et la vision de toutes les secondes de sa vie à lui, Paul Béhant, écrivain raté, l'amenant à ce tournant décisif où il prononce le mot clé de son œuvre inaboutie :

— JE T'AIME, s'entend-il dire à haute voix.

Ensuite il aurait décrit sa manière à elle de sombrer doucement dans ses bras, de consentir à cette géométrie basculante du désir, de s'incurver, de se hausser contre lui. Paul est moite comme une couche pour bébé. Fébrile. Mais le métabolisme irradié par de divines énergies. Elle l'étreint. Il la palpe. Est-ce qu'il serait davantage capable d'aimer une femme que d'écrire un roman ?

Des éclairs silencieux illuminent l'horizon. La lune disparaît. Ressurgit. S'enfonce et reparaît. Remous de planètes sillonnant l'espace. Paul ferme les yeux. États d'âme. Lunaisons. Nuages.

— Tu n'es pas comme les autres, dit-elle.

— Quels autres ?

– Tes yeux sont tristes. Tu ne souris jamais avec les yeux.

Lui, mi-figue mi-raisin :

– J'ai déjà assez de mal avec la bouche.

La vie est un rêve. Rien n'a de sens. Et pourtant il est prêt à tout pour la retenir. Elle retourne à New York dans moins d'une semaine. Il remonte sa robe et glisse une main entre ses cuisses. Grondement de tonnerre se rapprochant. Des néons fous éclatent dans le ciel. Dans un effort désespéré pour se dissimuler la réalité, les gens s'accordent l'oubli. Ils appellent ça le bonheur. Tas de lâches ! Se réveillent d'un côté pour se rendormir de l'autre.

– Je n'ai jamais pu faire semblant, ajoute Paul en la caressant à travers l'étoffe du slip. J'aime les poètes tristes. Moi-même j'écris...

– J'ai fait du... théâtre. (Elle respire plus vite.) Ça m'a beaucoup appris... Faire passer des émo... tions... Je n'ai pas une très bonne technique au piano mais...

Elle tremble au bout de ses doigts. Il cherche la couleur de ses yeux dans le noir. New York est une cabine téléphonique flottant quelque part dans l'Atlantique. Est-ce qu'elle va retrouver quelqu'un là-bas ? Est-ce qu'elle va rire avec un autre comme elle riait tout à l'heure en se léchant les doigts, jetant les coquilles d'huîtres dans le grand plat en fer...

La pluie commence à tomber. Lourde. Tiède. La vie a toujours eu deux longueurs d'avance sur Paul. Est-ce pour ça qu'il veut à tout prix garder Luci près de lui ? La vie qui roule devant son ombre et lui échappe sans cesse. Le désert n'est pas loin. À courir toujours hors du passé, sûr qu'on finit par y arriver...

Elle ne dit rien quand il lui arrache son slip. Juste ses paupières voilées de pluie qui battent très vite. Le tonnerre raye le ciel. On dirait un train express déraillant dans l'espace. De gigantesques craquelures blanches plongent dans l'océan. La pluie trotte à petites jambes sur le marais. Plockiplockiflack ! Dans leurs yeux. Sur leurs lèvres. Ventres collés. Brume fiévreuse montant de leurs corps. Paul la prend par les hanches. Il là soulève et l'assoit sur la rambarde. Du genou écarte ses jambes...

Le fracas du tonnerre à nouveau. Le ponton frémit sous eux. Luci secoue violemment la tête. Ses cheveux ruisselants cinglent le visage de Paul. Lueur bleue. Blanche. Nuit. Un pan de ciel qui explose en pastels fluorescents. Un instant il la voit comme en plein jour. Ils baisent debout sur l'océan. Elle s'accroche à ses épaules. Le griffe. Il mord sa bouche. Son pantalon tombe en vrille à ses chevilles. La jouissance lui déferle dans le noyau. Il creuse les reins. Un craquement épouvantable retentit. Simultanément, Paul voit un cavalier gris passer au galop sous les arbres. Et le cul de Luci tombe à travers ses mains. Elle est en train de partir à la renverse. Elle part à la renverse. Elle est partie. La planche de la rambarde vole et le frappe à la hanche. Il plonge avec elle, les pieds pris dans son froc.

Luci atterrit sur le lit de nénuphars avec un SPLASH sonore et s'enfonce dans la vase. Paul finit d'éjaculer en plein vol. Retombées de sperme sur l'eau noire. Il pique une tête.

Plus terriblement s'abattent les grands oiseaux sans ailes...

Pour la prochaine sortie amoureuse se munir d'un parapluie et d'une bouée de sauvetage.

Leurs fringues sèchent sur le capot de la voiture. Luci est roulée dans une serviette de plage rouge et blanche. Paul est en slip, menton appuyé sur le volant. La radio chuinte à bas volume. L'orage est loin. Un petit vent frais arrive du large, léger, désinvolte. Elle avale une gorgée de tequila et lui rend la flasque en grimaçant. Puis dit :

— Pour un timide, tu fais fort !

— Je suis un timide brûlant... C'est dangereux un timide brûlant.

— Un vrai fou, oui !

— C'est le premier parapet que je défonce..., s'excuse-t-il.

Elle pose la tête sur son épaule et pousse un soupir.

— Je n'ai pas envie que tu t'en ailles, dit Paul.

— C'est affreux ce que je me sens bien. Je ne devrais pas. Je me sens coupable et... atrocement heureuse.

Les lucioles se sont remises à danser sous les arbres. L'odeur de terre mouillée ranime en Paul tout un tas d'images du passé. Il allume une cigarette. Son cœur bat. Il n'est pas en train d'écrire. New York est une cabine téléphonique à la dérive sur des eaux sales. Le timbre aigu d'une sonnerie grelotte interminablement mais personne ne décroche l'appareil. Un ouragan vient de naître au large d'une petite île des Caraïbes. Il n'a pas encore de nom. Un pêcheur et sa barque ont été emportés à plus de deux cents kilomètres heure dans les hautes couches de l'atmosphère.

Ça faisait une éternité que Paul s'était pas senti aussi bien.

– Tu vois ce que je veux dire ?

– Un peu, fait Paul, évasif.

Mike les observe avec défiance depuis le couloir, le poing refermé autour d'une canette de bière juste entamée. Paul et Bernie sont assis sur le lit. Ils discutent tranquillement maintenant. Bernie a une main bandée. Le mur blanc fait paraître le sang encore plus rouge. Deux longues traînées verticales avec des empreintes de doigts.

– C'est la phase ultime, annonce Bernie en regardant fixement un point entre ses pieds. Les ombres déclencheront la guerre atomique et l'humanité sera rongée par le feu. Même si je me sacrifie aujourd'hui, AUJOURD'HUI ! je ne peux plus les arrêter. La Mafia et la C.I.A. ont couvert les opérations depuis la chute de l'Empire romain. CÉSAR ! NÉRON ! CALIGULA ! NOUS REVOILÀ POUR LE GRAND FINAL !

– Tu peux pas le faire taire ! s'énerve Mike. J'en peux plus de l'entendre ! J'EN PEUX PLUS ! Toute la journée depuis huit jours ! Merde, l'amitié ça fonctionne jusqu'à un certain degré !

Paul :

– J'entends une voiture...

Mike se calme pas pour autant. Ce qu'il veut c'est se débarrasser de Bernie. Jill s'est barrée ce matin à cause de lui. Trop c'est trop.

Okay, doc Goofy va arriver et lui injecter une triple dose d'hypnotique, mais après, le cirque va recommencer. Le cirque recommence toujours avec Bernie. Comme tout à l'heure, à se lacérer l'intérieur de la main au couteau et badigeonner le mur. Il est malade. Il est fou. Mais qui est-ce qui refait les peintures ? Cézigue Mike. Ça peut

peut-être se soigner ou peut-être pas ce qu'il a. Tout ce qu'il demande, c'est que ça se passe ailleurs que chez lui. Il a supporté ce qu'il pouvait. Les voisins aux abois. Jill partie chez sa mère. C'est vrai qu'il avait promis de vraies vacances à Jill. Au lieu de ça il lui fourre un loufdingue dans son quotidien. Faut se mettre à sa place. Bernie a besoin de personnel spécialisé. Les copains pour couvrir ses conneries, ça va un temps, mais là ça devient trop sérieux.

— Paul, ça fait huit jours que je me le farcis. T'as qu'à le reprendre si tu veux. Jill reviendra que s'il a débarrassé le plancher. Sorry.

— Tu sais bien qu'il est grillé au motel.

— Alors ?

— Alors, je sais pas.

Bernie relève la tête. Son pansement prend l'allure d'un énorme gant de toilette rose. Son regard se pose sur Mike puis sur Paul. C'est sa vie. Ce sac de linge sale que les deux potes se renvoient à la gueule, c'est sa vie à lui, Bernie.

— Je suis fou, hein ? C'est ça que tu penses, Mike ?

Mike rentre dans la chambre.

— Ce que je sais c'est que t'es plus responsable, vieux. Ta mère est pleine de pognon. Elle pourrait te mettre au vert un moment, non ? Tu changerais d'air. Arrête de regarder la télé. Oxygène-toi. J'sais pas moi...

Bernie se fend d'un doux sourire et ses yeux s'embrument.

— Il y a une famille qui rêve depuis plus de dix ans de me déconnecter le cerveau. MA FAMILLE. Ma mère, mes frères. Tu comprends, Mike, je fais un bruit qu'ils supportent pas. Un bruit blanc qui les dérange. Ça fait des parasites dans leur existence médiocre de lâches heureux. Donne-leur les clous et ils me crucifient eux-mêmes.

Mike secoue la tête.

— Tu me fais chier avec ta parano. Ça marche plus. J'ai assez donné. (À Paul :) Va savoir ce qui est vrai dans ces histoires. Sa mère veut le foutre à l'asile. Son grand frère lance des tueurs contre lui et il voit des ombres puantes ramper dans le jardin ! Ce mec est jeté !

Bernie :

— TCHHHHHHUUU... TCHHHHHHUUU...

— Qu'est-ce que c'est le bruit blanc, Bernie ? demande Paul.

— TCHHHHHHUUU...

Mike :

— Merde, tu vois pas qu'en continuant à t'intéresser à ses délires tu fais qu'aggraver son cas !

Paul :

— Bernie ?

— TCHHHHHHUUU... (Il se tourne vers Paul et :) C'est ça le bruit blanc. Après la fin des émissions de télé. Quand l'écran se remplit de mouches blanches et noires qui se mettent à bourdonner. Aucun message ne passe. Fini. C'est le bruit blanc. TCHHHHHHUUU...

Mike regarde les deux traînées rouges sur le mur. Il veut que Jill revienne. Qu'est-ce qu'il y a de mal à s'occuper de son bonheur ? Bernie voudrait que tout le monde soit aussi désespéré et malade que lui. Bien sûr que personne ne supporte cette nudité-là. Le mur fait dégueulasse et le sang fait encore plus rouge. Il vide sa canette d'un trait. Qu'est-ce que Paul en a à foutre du bruit blanc qui siffle dans la tête de Bernie ?

– Quand les gens n'ont plus rien à se dire : BRUIT BLANC ! Le cancer du vide qui leur bouffe le cœur : BRUIT BLANC ! L'ennui, les antidépresseurs et les barbituriques : BRUIT BLANC ! Des piranhas dans le potage du soir, la trouille, la honte étouffée : BRUIT BLANC ! Porte fermée, l'âme nulle, l'air conditionné : BRUIT BLANC ! Tout ce qu'on veut éviter. Faire du bruit surtout, de plus en plus de bruit pour pas entendre le bruit blanc. NOUS SOMMES COUPABLES !

Paul pose la main sur le bras de Bernie. Une portière de voiture claque et des pas crissent sur le gravier. Cette fois c'est sûrement Doc Goofy. Mike sort de la chambre.

– Tu sais, Bernie, dit Paul, à chaque fois que je pose mon cul devant la machine à écrire, j'ai l'impression de ne plus rien avoir à dire. Cette foutue colère qui me fait dresser le poil se couche à mes pieds comme une chienne et se met à ronronner. La colère rentrée. Rien de pire. Ça vous mure au silence. C'est toi qui es dans le vrai. Tu es déjà derrière le silence. Là où on a tous peur d'aller. Au-delà du dernier mot...

– TCHHHHHHUUU... TCHHHHHHUUU..., répond Bernie en plissant les paupières.

Paul s'aperçoit qu'il est en train de serrer le bras de Bernie de toutes ses forces. Ses ongles en sont blêmes. Il vient de réaliser qu'il entendait le bruit blanc depuis toujours sans le savoir. Ce silence qui chuinte en lui. Mouches noires et blanches bourdonnant de partout et de nulle part à la fois. Combien sont-ils à capter cette friture d'éternité ? Une sorte de silence qui s'écoulerait continuellement d'un ciel à l'autre. Le sable du silence et de la résignation. Peut-être le sablier du compte à rebours pour la mise à feu de la planète... Quelle serait alors la phase ultime dont parlait Bernie tout à l'heure ?

– Bernie... Il faut que tu retournes chez toi. La musique est morte. Nulle part où aller...

– *Hell no !*

– Je viens habiter avec toi quelques jours. Ça te va comme ça ?

Doc entre dans la pièce avec déjà un verre à la main. Mike le suit. C'est lui qui porte la sacoche. Doc a le cheveu raide et noir qui tombe sur les épaules. Une tête de vieux Mexicain débronzé. Paul se lève et passe au salon. Les aiguilles le mettent mal à l'aise. Il pioche une canette dans la glacière d'urgence, prend le téléphone et se laisse tomber dans un fauteuil. En moins d'une minute, il a Luci au bout du fil. Sa voix lui restaure aussitôt les esprits. Comme si une rondelle de feutre venait se coller entre lui et le néant. Et puis l'image lui percute le système : ce qu'il y a derrière le silence c'est un lieu habité où personne ne dort.

– Luci, il fait. Je sais que ça va te paraître bizarre mais c'est très important. Est-ce que tu peux me chanter « *Summertime* » ?... Oui, maintenant. Là, au téléphone... Je fais la trompette avec la bouche...

Pendant qu'elle chantonne le premier couplet, il pleure son Amérique intérieure. Un désert où tout le monde dort. Les âmes des Indiens n'ont pas fini de se consumer...

7

LE CHEMIN DE CROIX

Il ne regrette pas sa piaule au Mustang. La maison de Bernie est tout en bois de pin. Du flambant neuf. Grand confort. Il manque juste une machine à laver le linge. Paul n'a plus une chemise de propre et son jean rapiécé lui colle aux cuisses par une solide couche de crasse. Sa chambre est au premier étage et de la fenêtre, il a vue sur le parc du centre Meher Baba. Une vraie jungle qui s'étend jusqu'à la mer, trouée au centre par deux lacs jumeaux. La couleur est vert tropical. Une épaisse lumière verte qui pète la santé. Des petits cabanons de bois sont parsemés sous les arbres. Trois vastes bungalows en bordure du premier lac appelé « mare aux alligators » et une case sur pilotis qui s'avance sur l'eau. Évidemment il a fallu que Bernie l'entraîne là-bas et qu'il se tape le tour du propriétaire. Paul était plutôt réticent au début. Les regroupements d'individus pour une cause ou une autre lui ont toujours paru suspects. Bon. Et puis la race des faux saints qui trempent dans l'abnégation et se meublent la tête avec les problèmes des autres, en ce qui le concerne, c'est louche. Un type qui n'a pas le courage de se colleter avec sa propre merde et bouffe celle des autres n'est pas forcément une grande âme.

Justement, ils discutaient de ça, Bernie et lui, en parcourant les sentiers sablonneux qui sillonnent le centre. Soleil de plomb et pas un souffle d'air. Les jardins de la résidence où Bernie a sa maison donnant directement dans l'enceinte sacrée, ils sont entrés par là sans se poser de questions. Ils croisent des tondus en robe blanche avec tous le petit médaillon orné de la photo de leur Baba qui pend à un lacet noué autour du cou. Paul leur trouve un comportement bizarre. Certains leur adressent des grimaces de désapprobation. Paul pense d'abord que c'est à cause de leur tenue débraillée. Il jette son clope. Bernie ne lève même pas la tête, insouciant de ce qui se passe, lancé dans une tirade sauvage sur les « Ombres-puantes » qui obscurcissent l'humanité. Comme ils approchent du premier lac, Paul finit par remarquer la qualité particulière du silence. Il y a pas mal de disciples, des mecs et des nanas, des chevelus, des rasés, qui se promènent par groupes de deux ou trois. Et il faut croire qu'ils se sont donné le mot parce que c'est le silence complet entre eux. Un sacré spectacle. Ils se font un tas de mimiques, échangent des sourires béats en appliquant la main droite sur la poitrine. Mais tout ça sans qu'un seul son sorte de leur bouche. Il doit se passer quelque chose. Bernie n'est pas au courant. Il vient se balader là épisodiquement et il n'est pas abonné au journal. En clair : il s'en fout. Paul le suit sur l'étroit ponton et dans le petit pavillon sur pilotis. Il y a déjà quelques types en pleine méditation dont un barbu chauve maigre comme un clou.

Bernie pose son cul sur le seul banc de libre. La « mare aux alligators » est d'une tranquillité absolue. Pas une ride. Le soleil se reflète dedans et s'étale en coulures aveuglantes. On aperçoit au loin la lisière de palmiers délimitant la plage. Ça vaut le coup d'œil. Paul comprend qu'on puisse avoir envie de faire une retraite dans un endroit pareil. Cantoche, bibliothèque, le grand air et le calme. Peut-être bien que le barbu assis en face de lui a trouvé la paix de l'esprit, lui... Peut-être qu'il a gobé la pilule anti-doute, la certitude universelle. Oui, si ça se trouve, ce mec est en repos sous ses paupières à demi-closes, bercé par la mansuétude générale du grand chef d'orchestre de la symphonie cosmique. Dans cette putain de symphonie, Paul doit se trouver près de la grosse caisse parce que tout ce qu'il entend c'est le battement grave de son cœur qui lui martèle TU VAS MOURIR. TU VAS MOURIR ET APRÈS PLUS RIEN. UN CHÈQUE EN BOIS À LA BANQUE DU TEMPS. FERMETURE DE COMPTE, ET BYE BYE LOVE, BYE BYE HAPPINESS !

Bernie lui file alors un coup de coude dans les côtes et l'arrache à ses pensées débiles.

— REGARDE !

Deux yeux sombres au ras de l'eau. Un remous. C'est un alligator qui passe en froissant les nénuphars. Paul le suit du regard à travers la moustiquaire. Un autre remous, celui du barbu et des trois autres gus prostrés en demi-lotus sur leur planche. BYE BYE LOVE ! Une salve de regards furibards pleut sur Paul et Bernie. Le barbu met un doigt devant sa bouche pour leur indiquer le silence. Paul regarde le médaillon qui pend dans l'échancrure de sa chemise indienne. Le guru y est représenté à un âge avancé. Gros nez et moustache épaisse. Le portrait craché de Groucho Marx. Ça le déconcentrerait, lui, une bouille pareille.

— Qu'est-ce qu'il y a ? demande Bernie agacé. On peut parler, non ?

Barbu se dresse sur ses jambes. Il pointe son médaillon d'un index tremblant et se livre à un mime compliqué. Bernie fronce les sourcils. Paul observe l'olibrius en se demandant s'ils ont affaire à un cinglé. L'alligator est passé tout près du cabanon et a disparu dans une forêt de roseaux. L'autre est encore en plein mime que Bernie éclate de rire.

— Ce mec est un vrai clown !

Paul ne pige rien à ce qui se passe. Un deuxième baba se lève. Il vient juste sous le nez de Bernie, la main sur le cœur. Il ouvre la bouche, la referme comme sur un cri muet, cligne des yeux, remue le nez. Paul croit même voir les oreilles bouger. C'est clair qu'on essaye de leur expliquer quelque chose, mais quoi ? Bernie ricane encore un peu et dit à Paul qu'ils sont tombés sur une paire de sourds-muets.

— Depuis qu'on est là, j'ai entendu personne parler, Bernie. Il y a un truc là-dessous.

L'un des babas qui n'avait pas bronché jusque-là sort en claquant rageusement la porte.

Ils ont compris moins de trois minutes plus tard. Le jardinier et le portier du centre sont arrivés. Ils les ont conduits énergiquement et sans proférer une parole jusqu'à une cabane qui devait sans doute servir de salle de réunions. Il y avait de grandes tables, une foule de chaises et un tableau noir où était écrit à la craie rose la devise de Meher Baba. NE T'INQUIÈTE PAS. SOIS HEUREUX. JE T'AIDERAI. Quand Paul a entendu la voix du jardinier ça a été comme une révélation. CES GENS ÉTAIENT CAPABLES DE PARLER comme tout le monde. Ils célèbrent tout simplement une fête à eux : le jour du silence. Interdiction de s'exprimer par la parole pendant vingt-quatre heures et la consigne est valable pour tout le monde, visiteurs et résidents. Le jardinier leur raconte la chose à voix basse. Le portier est retourné à ses occupations en voyant qu'ils n'étaient pas de mauvaise volonté, seulement mal informés. Meher Baba avait décidé un beau jour qu'il en avait assez dit. Assez prêché. Assez répandu la bonne parole. Et s'était replié dans un mutisme total qu'il prolongea jusqu'à l'abandon de son enveloppe charnelle. La voie du silence en quelque sorte. L'humanité étant restée sourde aux messages d'amour et de fraternité lancés depuis deux millénaires par toutes sortes d'envoyés divins, le silence avait représenté pour Baba le dernier cri en matière de prophétie. C'était le jour anniversaire aujourd'hui. Paul et Bernie avaient failli tout foutre en l'air.

Bernie est rentré très frappé par l'incident et sur le chemin du retour, il ne desserre pas les dents. Sûr qu'il a encore interprété ça comme un message lui étant destiné. En tout cas, il reste muet toute la journée et le soir quand Mike vient leur faire une visite et se raccommoder avec lui, Bernie ne décroche pas trois mots.

Paul recule sa chaise. Ce qu'il lui faut, c'est une bière. Une bande de nuages déboule au-dessus du parc. La « mare aux alligators » prend une teinte vieil argent. Il regarde s'étirer et se déchirer les nuées. Formes qui s'effrangent et se perdent pour se recomposer en autre chose. Tout à fait à l'image de ses états d'âme. Un taureau ailé qui devient château en ruine qui devient sirène qui devient tête de chien qui devient...

La contemplation ne lui apporte cependant aucune nouvelle poussée d'inspiration. La page blanche engagée dans la machine continue à lui répéter. Nuages... Nuages. Il se demande si Bernie est retourné chez les babas malgré leur expérience de la veille. Bernie ne se décourage pas facilement. Pourtant depuis trois jours qu'il est installé chez lui, Paul a noté une amélioration sensible de son comportement. Il flippe toujours bien sûr, mais un cran au-dessous. Même si le soir il pisse aux quatre coins du jardin pour marquer son territoire et se sécuriser.

Il descend dans la cuisine se chercher une bière et tombe sur le journal du matin. L'ouragan David est sur cinq colonnes. Trente-deux morts entre la Louisiane et l'Alabama. Il s'est finalement éteint en Georgie où il a provoqué des dommages mineurs. Il s'est couché à terre et les hommes l'ont achevé à coups de pelle. Les photos satellite montrent un animal géant en train d'agoniser dans la poussière. L'article notifie que la saison des ouragans ne fait que commencer. Une importante zone de dépressions risquerait de donner naissance à de nouveaux monstres...

« DES VENTS DE DEUX CENTS KILOMÈTRES HEURE ONT SOUFFLÉ UN VILLAGE DE VACANCES PRÈS DE NEW ORLEANS EMPORTANT CERTAINS BUNGALOWS JUSQU'À UNE DIZAINE DE KILOMÈTRES AU LARGE... »

Il traîne. Va de la cuisine au salon en suçant la canette. L'image de Luci lui trotte dans la tête. Impossible d'avoir les idées claires. Et plus il tourne en rond plus l'image lui vrille le crâne : le bonheur avec Luci. Laisser tomber ses rêves à la noix et construire quelque chose. Avoir chaque jour son sourire à côté de lui, respirer le même air, dormir sous le même toit.

En passant devant la télé, il a le réflexe de glisser la main dessous et de ramasser les messages que Bernie adresse à ses collègues humains. Un article de magazine souligné en rouge avec des annotations. Des feuilles de carnet. L'une d'elles dit : JE SUIS LE PROCHAIN. Une autre est illisible. La patte de Bernie a tracé des signes furieux. Paul ne déchiffre qu'un seul mot : SANG. L'article de journal relate l'assassinat d'un patron de casino d'Atlantic City. Le cadavre a été retrouvé dans un coffre de voiture par un gardien de parking. Le commentaire de Bernie dans la marge : ILS SONT ICI. Paul replace les bouts de papier sous le poste. Qu'est-ce qu'il peut faire ? Il veille à ce que Bernie avale son lithium quotidien mais ça ne suffit pas à museler sa parano galopante. Selon lui, le processus de destruction totale de la planète est déclenché. Suicide collectif obligatoire. Les diarrhées l'ont repris. C'est de mauvais augure. Paul reconsidère son jugement : l'état de Bernie ne s'améliore pas. L'étau se resserre.

Il retourne dans la cuisine. Deuxième bière. S'accoude à l'évier en essayant d'oublier le malaise qui lui noue le ventre. La solitude en Amérique n'a rien à voir avec toutes les formes de solitude qu'il a éprouvées jusque-là. Le vide n'a pas de vraie profondeur, c'est plutôt une béance absolue et sans espoir. La moindre faille dans la personnalité et c'est la chute sans fin. Il faut à tout prix éviter ça… Rester à flot. Il repasse au salon, les mains moites. Une forme a bougé, là-bas, à la lisière du centre Baba. Il soulève le rideau de la porte-fenêtre. Rien. Envie de se soûler, de tomber dans le sommeil et l'oubli. Il ferait peut-être mieux de se tirer d'ici, de laisser Bernie à son délire ou il va se retrouver bientôt avec des fantômes d'Ombres-puantes dans son lit. Les prisons et les asiles sont remplis de types qui refusent de croire que la société leur veut du bien.

Il s'affale dans le canapé et ferme les yeux. Son livre n'avance pas. Est-ce qu'il est en train de s'acheminer vers la folie ? Il y a deux jours il a emmené Luci pour une promenade sentimentale dans une des superbes plantations de Georgetown. Tout lui souriait alors…

En traversant la ville ils passent devant l'énorme aciérie. GEORGETOWN STEEL CORPORATION. Paul a ralenti pour regarder le brasier orange qui brûle jour et nuit dans son antre de métal et de béton. Gueules noircies des ouvriers dans les nappes de chaleur vibrante. L'usine est bâtie au bord de la rivière sur l'emplacement même d'un ancien cimetière indien. Le feu ne s'éteint jamais. L'acier en fusion s'écoule sans arrêt de cette plaie ouverte. L'acier qui a moulé l'Amérique. L'acier des canons et des cloches d'église. À chaque fois, il se dit qu'il doit y avoir sous l'asphalte du parking des ossements humains parés de turquoises, des plumes d'aigle miraculeusement épargnées par le temps, une mémoire douloureusement figée.

Luci est une pile de lumière. Cette fille ferait pâlir le soleil. Il conduit en douceur, prenant le temps de mijoter son coup, de peser ses chances. S'il se montre trop empressé il va se prendre les pieds dans les fils et s'étaler en beauté. New York se dresse entre eux et c'est un sacré morceau à abattre. « JE VEUX VIVRE AVEC ELLE », se répète-t-il mentalement. Tant pis s'il a l'air ridicule. Tant pis si elle éclate de rire et lui tapote le bras avec indulgence. La vie cavale et pour une fois il est décidé à suivre son sillage. Elle lui demande à quoi il pense et il dit : à rien.

Luci :

– On se connaît à peine...

Paul :

– Justement. Il faut en profiter.

– Je ne suis pas facile à vivre.

– Moi non plus.

Ils sont assis sur un banc de pierre devant une statue en bronze de Diane chasseresse. L'air colle à la peau. Plus loin, au milieu du gazon desséché, un éphèbe couronné de laurier tient une lyre. Hermès, peut-être. Une allée d'hibiscus s'enfonce sous les arbres. Un petit souffle de vent passe en rêvant. Rien que pour eux. Il crève d'envie de la prendre dans ses bras, de la serrer, de la caresser. De grosses mouches noires tournent autour d'eux. Certaines s'enculent en plein vol. Paul les éloigne d'un geste de la main.

– J'ai vécu avec un écrivain quand j'habitais le Connecticut. Un Russe... Un poète, je crois. Il n'a jamais réussi à écrire grand-chose. Il buvait trop. Il disait que c'était de ma faute, que je le castrais...

Du bout de sa chaussure, Paul trace un cercle dans le sable. Mal à l'aise. Le rire de Luci lui plante des échardes dans l'amour-propre. La race des écrivains compte quand même quelques fiers spécimens...

— Il était impuissant, elle ajoute. C'était ça son vrai problème.

— Ah...

— J'étais très jeune. Il aurait pu être mon père. C'est moi qui suis partie. Mon père est mort quand j'avais douze ans, tu comprends. J'ai été élevée par ma mère et ma sœur aînée et j'avais besoin de rechercher cette image sécurisante de l'homme mûr... Tu parles ! Je suis tombée sur les pires losers qui soient. Ça m'a guérie !

Elle regarde son dessin dans le sable qu'il fignole à petites touches de sa pointe de grole. Le cercle du Yin et du Yang. « Rien n'est écrit. » Paul tire une carte chance.

— Et toi, demande-t-elle, qu'est-ce que tu cherches dans une femme ?

Paul lève les yeux, dérouté. Un frisson de vent fait bruire les arbres. Diane tient un arc à la main et des flèches dépassent du carquois accroché dans son dos. Le ciel bleu. Bleu. L'étang se couvre de rides.

— J'aimerais avoir un jardin et écouter pousser les tomates, dit-il. Les fruits ont un autre goût quand on a planté la graine soi-même.

Luci plisse le front.

— Pourquoi des tomates ?

— Pour les manger en salade avec toi.

Elle sourit.

— Je fais plutôt bien la cuisine, tu sais. Les lasagnes c'est ma spécialité. Tu aimes les lasagnes ? Et les cannellonis à la crème ?

Le roman de sa vie a maintenant les yeux de Luci. Des yeux noisette. Les grandes décisions se prennent en une seconde. C'est le temps qu'il y a avant et après qui peut paraître plus ou moins long. Paul va parler à ses bottes et leur apprendre la nouvelle : « Mes filles, on lâche la route. On s'installe. Assez dérivé, assez flotté. Le bonheur est dans ton jardin. »

Tomate est un mot d'origine aztèque, mais qui s'en soucie ?

Il s'arrache du canapé. La bière lui donne des aigreurs d'estomac. Il va dans la salle de bains prendre une poignée de cachets qu'il croque avidement. Aucune envie de se remettre à travailler. Luci est là, dans sa tête, et réclame toute son attention. Trouver une maison. Vivre avec elle. Il enterre l'écriture et se lance dans l'aventure. La solitude n'est pas bonne pour lui. Elle semble prête à faire le pas. C'est le moment de chatouiller le volcan éteint qu'il a dans le cœur. Le reste l'écœure.

Il revient dans le salon et ouvre le rideau. La pelouse brille au soleil. Il regarde l'heure et commence à s'inquiéter pour Bernie. Il doit retourner au boulot ce soir après trois jours d'absence. Sa main a presque cicatrisé. Mike et Jill, eux, sont partis à Savannah pour des vacances bien méritées. S'il n'était pas là pour servir de garde-fou...

– Oh, merde !

Paul se frotte les yeux pour croire ce qu'il voit. BERNIE. Bernie nu comme un ver qui arrive du bout du jardin en portant une croix sur l'épaule. Un machin de plus de trois mètres qui semble taillé dans du vieux madrier. Il avance péniblement, plié sous le poids, patinant sur le gazon comme un authentique Jésus grimpant au Golgotha. Paul est pétrifié. Bouche bée il suit sa lente progression. Il verrait maintenant descendre du ciel une chiée de petits chérubins hilares qu'il serait pas plus étonné que ça. Il ouvre grand la porte-fenêtre et se précipite dehors.

Crescent Beach est juste une station balnéaire avec sa folie ordinaire et son soleil d'enfer.

8

POUSSIÈRE DE DOLLARS

– Tu planteras pas ce truc dans le jardin !

Bernie le regarde avec des yeux ronds. La croix est couchée dans l'herbe et un soleil de plomb les canarde de ses rayons. Paul croise les bras. Bernie reprend son souffle. Inondé de sueur des pieds à la tête. Il a dû peiner comme un malade pour traîner son bout de bois.

– Je suis chez moi, dit-il après un moment.

Paul hoche la tête.

– Tu t'es regardé ? T'es pathétique.

Les épaules voûtées, biceps tremblants, Bernie est d'une nudité désarmante. Quoi, le Messie ? Est-ce que Paul devrait s'agenouiller ? Merde. Dans trois heures, Bernie prend son service au Tropico Bar. Faut pas rêver.

– Si tu veux pas m'aider, barre-toi !

– T'aider ! Mais putain, c'est ce que j'essaye de faire depuis trois semaines ! Tu crois quand même pas que je vais me mettre à creuser une saloperie de trou pour planter ta connerie de croix !

Bernie serre les poings. Il fixe Paul bizarrement.

Un mélange de mépris et d'inquiétude. D'ici à ce qu'il le prenne pour un flic de la galaxie des Ténèbres il y a pas loin...

Paul :

— Eh ! si on rentrait boire un café...

Bernie n'a pas pris son lithium ce matin. Okay, c'est l'enfer. Mais pas question qu'il lui foute sa soirée en l'air. Luci part pour New York demain matin, et ils ont encore un tas de choses à se dire. Elle liquide son appart là-bas et revient aussi sec. La vie galope pour eux. Elle s'est déjà dégoté un engagement pour chanter au bar de l'Howard Johnson de North Crescent. Quinze jours en septembre. S'ils se trouvent pas une maison tout de suite, ils emménagent au Four Gables. Un motel dans la Soixante-septième Rue qui loue des doubles chambres avec kitchenette. Il va bien falloir que Bernie s'assume tout seul. Il peut pas servir de garde-fou *ad æternam*. Rame ou crève, vieux, c'est la dure loi d'ici-bas. Et puis de toute façon...

— Si tu réfléchis un peu... Une fois que t'auras monté ton gibet, comment tu feras pour t'accrocher ? De la super-glu peut-être ?

Un reflet gris passe dans l'œil de Bernie. On sent qu'il cherche les mots mais que rien ne vient. Il gobe un peu d'air, avale sa salive et parvient enfin à dire :

— Y en a de prêt ?

— De quoi ?

— Du café...

Psaume 69 : « Dieu, sauve-moi/ L'eau m'arrive à la gorge/ Je m'enlise dans un bourbier sans fond/ Et rien pour me retenir/ Je coule dans l'eau profonde/ Et le courant m'emporte... »

Paul est sur le seuil du restaurant, tous ses yeux braqués sur Luci. Elle porte sa fameuse robe jaune canari bandante à mort et tapote sur le piano un standard des années 40. Le bar est plein. Tout un congrès d'ostéopathes en tenue du dimanche qui papotent un verre à la main. Elle l'aperçoit et fait un enchaîné sur...

« *Summertime... when the living'z'easy...* »

Johnny West est là, avec Jenny, sa femme. Plus bourré que jamais. Le scotch & soda entre les doigts et envoyant des vulgarités salaces aux bourgeoises qui passent. Jenny est très digne, genre sauver-les-apparences-à-tout-prix. On voit au premier coup d'œil qu'elle a de l'éducation et des manières, contrairement à Johnny qui n'a que le fric et les sales habitudes. Elle s'emmerde à mourir, c'est clair. Bernie lui fait un brin de conversation. Bernie qui a une croix dans son jardin et qui attend la crucifixion avec un calme olympien. Encore une autre tête, celle du bonhomme en costume bleu roi. Même expression vide et inexpressive. Même sacoche de cuir posée à ses pieds. Paul l'observe un bon moment avant de conclure qu'il dégage un sacré fumet d'étrangeté. Qu'est-ce qu'il fout dans cet hôtel ? Rien d'un touriste. Rien d'un ostéopathe. Planté là comme un point d'interrogation. Il appartient à ces visages qu'on ne définit jamais, qui flottent à perpète dans une sorte de flou artistique...

On dirait presque une scène de roman. Personnages mis en présence. Aucun rapport entre eux et pourtant des liens indéfinissables existent. Des fils d'araignée tendus au-dessus de leur tête. Et l'araignée qui du fond de sa toile surveille le moindre mouvement...

Luci continue à chanter :

« *One of these mornings you gonna wake up singing... Spread your wings and take to the sky...* »

Tonio escorte les derniers clients hors du restaurant. Il a l'air fatigué. Il tire Paul par la manche et fait :

– Ça va plus avec ma femme...

Paul se crispe instinctivement. Il en a marre des emmerdes des autres. Il voudrait se reposer. Ces gens qui ont tout le confort – bagnole, télé et air conditionné – et qui se payent la détresse comme un luxe ultime commencent à sérieusement l'énerver.

– Depuis que je lui ai parlé d'aller en Italie pour les vacances, elle est infernale avec moi. Tu vois, pour elle, on est tous des sauvages là-bas. Tu sais pas ce qu'elle m'a demandé ? Si on faisait cuire la viande et si on avait l'électricité...

Quand Jésus a été mis en croix le ciel s'est obscurci et les gens qui étaient là ont pu voir la nuit de l'Homme. Tonio est marié à une Américaine pur jus. Élevée au Coca et dans la hantise des germes. Tout doit être désinfecté avant d'entrer dans la maison. C'est la priorité. Et les idées, surtout les idées... Est-ce qu'une nouvelle nuit de l'Homme s'annonce ? Et l'araignée qui du fond de sa toile...

– Je t'avais parlé de mon roman ?

Tonio, pris de court :

– Euh oui, vaguement...

– Ouais. Eh ben, j'arrête. Ça me prend trop la tête. Je crois que je vais essayer de faire carrière dans une branche qui ait de l'avenir.

Tonio secoue la tête.

– La restauration, c'est de la merde.

– Je sais, mais regarde, toi, t'as fait ton chemin...

Ensuite Tonio se donne un mal fou pour revenir sur ses problèmes personnels. Ils sont assis tous les deux à une table du restau et boivent un verre pendant que les serveurs finissent de nettoyer. Bruce, Gary, Tommy et les autres. Chacun leur tour, avant de calter, ils viennent remettre à Tonio et Paul leur pourcentage sur les pourboires. Dix pour cent pour services rendus : flambées, etc. Les dollars tombent.

Tonio trimballe toute la désillusion du monde ce soir.

– Ça pourra jamais être comme là-bas... Ici il faut toujours courir après quelque chose... Et au bout, rien. Ta vie finit par ressembler à une vitrine de magasin. Ça présente bien mais c'est du toc. Je me mets à rêver du pays... une chose qui m'était jamais arrivée.

Paul compte le fric. Gary : huit dollars. *Check-out*. Bob : sept dollars. *Check-out*. Il sirote son whisky. Tonio continue :

– Le problème c'est que je me sens plus vraiment chez moi au pays. Huit ans... C'est pas eux qui ont changé, c'est moi. Ils ont toujours les mêmes bagnoles pourries, des vases de nuit sous le lit. C'est moi qui les regarde avec un drôle d'air maintenant avec mon rêve américain qui pue l'eau de Cologne et le spray désinfectant.

Chuck : neuf dollars. *Check-out*.

– On dit que le bonheur est en soi, fait Paul, philosophe. À l'intérieur.

– Arrête tes conneries ! Le bonheur est dehors. Le bonheur est dans les gens, dans la couleur du ciel et dans les filles qui passent... Un mec qui est heureux dans une ville de cons avec un ciel gris et des laiderons qui se promènent dans la rue, pour moi c'est un dégénéré !

Tommy s'approche de leur table et jette un billet de cinq dollars. Mais le jette avec une sale moue en marmonnant quelque chose de pas gentil du tout. Paul a eu des problèmes avec lui en début de soirée. En plein rush, il grimpait au bananier et le Tommy qui vient lui demander une finesse. Un café-machin à préparer pour une bande de V.I.P. de cambrousse. Paul l'envoie chier. Il a des fettucini partout sur le feu et des canards à flamber en urgence. Tommy est un petit con qui croit que tout lui est dû. Jeune, beau et intelligent. Faut juste lui rappeler une fois de temps en temps qu'il y a d'autres pommes dans l'arbre que la sienne.

Tonio a vu le geste et saisi l'intention. Tommy leur a déjà tourné le dos et s'éloigne vers la sortie. Il le rappelle.

— TOMMY !

Jeune-beau-et-intelligent leur lance un regard excédé. Revient vers eux en traînant les semelles.

Tonio a pris la coupure de cinq dollars qu'il contemple pensivement en la faisant tourner entre ses doigts. Silence pendant lequel un froid s'installe. Une minute, peut-être deux et puis Tommy qui demande :

— Qu'est-ce qu'il y a, Tonio ?

Tonio a l'air de détailler le billet comme s'il voulait en mémoriser les moindres fioritures. Il prend son temps pour répondre.

— Tommy... Je vais t'expliquer quelque chose : l'argent c'est rien. Du papier. Le papier, ça se froisse. Ça se déchire. Ça brûle. Poussière... Ce qui compte, c'est la valeur qu'on lui donne quand on le manipule. Tu me jettes cinq dollars comme si c'était une pelure de pomme de terre. Si pour toi cet argent ne vaut rien, pour moi non plus…

Il prend le billet de Paul qui traîne sur la table et très calmement, très naturellement, enflamme le biffeton. Tommy esquisse un mouvement pour empêcher le sacrilège puis se ravise et regarde bêtement ses cinq dollars se consumer et disparaître dans le cendrier en un petit tas de cendres. Paul termine son verre et suce un glaçon. Il observe Tonio du coin de l'œil. Tonio qui avait envie de foutre le feu à un rêve ce soir…

– Tu peux te tirer maintenant, il fait en levant les yeux sur Jeune-beau-et-intelligent.

Tommy : poussière de dollars. *Check-out*.

Paul retourne au Tropico après avoir bouclé le restaurant et souhaité bonne nuit à Tonio. Quelque chose dans l'air comme une électricité malsaine… Il sent qu'il met le pied dans un sac de nœuds et comprend tout de suite. Johnny est toujours là, cramponné à son drink en bon Saint John du scotch & soda et Luci est assise à côté de lui, salement éméchée. Le bar est presque vide. Une table d'ostéopathes tardifs et… l'énigmatique Costard bleu roi coiffé de son chapeau mou, imperturbable, sur le dernier tabouret de la rangée, face à un verre de bière qu'il a à peine touché. Bernie est en pilotage automatique. Paupières de plomb, les gestes cotonneux. Il doit en être à son quatrième Valium. C'est Grayson qui assure le gros du travail. Jenny est sans doute montée se coucher. Elle a l'habitude de laisser Johnny s'achever tout seul. Il peut racoler toutes les filles qu'il veut, se tourner en ridicule et finir la nuit recroquevillé dans la cabine de l'ascenseur, elle s'en fout royalement. Elle est d'une autre race. Elle vit autre part.

Luci a terminé pour la soirée. Les haut-parleurs sont débranchés. Il était convenu qu'il la retrouvait dans sa chambre. Changement de programme. Johnny l'asperge de conneries en lui payant des daïquiris. Elle tombe dans le panneau et l'écoute déblatérer avec un sourire figé.

Paul marche sur des œufs en s'approchant d'eux. La situation ne lui plaît pas. Ses rapports avec Johnny sont déjà assez compliqués et en plus il est sur son lieu de travail. Un faux pas et il perd son job. La maison a ses lois. Un larbin doit rester à sa place de larbin. Point.

Bernie lui fait un vague clin d'œil, envapé mais complice. Il est le seul à savoir pour lui et Luci.

– Pôôôl ! s'écrie Johnny. *Have a drink with us !*

Grayson lui sert une tequila-pamplemousse et Paul s'assoit à côté de Luci qui lui accorde un regard lointain. Il boit une lampée, la gorge serrée. Elle reprend une conversation en cours, lui tournant carrément le dos.

– Une journée ! J'ai été mariée une journée ! J'ai compris tout de suite que je n'étais pas faite pour ça. Le ménage, la cuisine… Pauvre Dennis ! Lui, il n'a rien compris. J'étais partie avant la nuit de noces…

Johnny éclate de rire. Siffle son verre d'un trait et dit :

– Les maris des jolies femmes sont mes pires ennemis !

Paul a l'impression de survoler un paysage désolé. Des terres qui s'éloignent, dérivent… La sueur perle sous ses aisselles. Luci aurait pu lui annoncer la chose autrement. Il va pas en faire un drame. Non. Pas un drame. Mais pourquoi est-ce qu'elle a omis ce détail du passé ? Ils se sont raconté leurs vies en long en large et en travers. Grayson lui apporte un autre daïquiri sans qu'elle ait rien demandé. Il la voit osciller sur son tabouret, attraper le drink d'un geste mal assuré.

L'amour refuse le passé. Paul se sent aspiré et rué vers sa vieille chienne de solitude. Brouillard de voix. Luci et Johnny. Johnny et Luci. Et Paul cloué au silence. Rien à dire. Les glaçons fondent dans son verre. Mortel malaise.

— Moi je me suis marié parce que je m'emmerdais le dimanche, poursuit Saint John. S'il y avait de meilleurs programmes à la télé ça serait pas arrivé. (D'un sourire désabusé, il achève :) Quand j'essaie de m'imaginer l'enfer, je le vois toujours sous la forme d'un éternel dimanche après-midi.

Luci :

— Jenny est adorable. Vous avez une vraie perle.

Johnny avance son verre vide vers Grayson et réplique :

— Le bon Dieu lui a donné un cul mais il a oublié le reste… (Sa voix commence à dérailler sous l'effet de l'alcool.) Elle se donne des grands airs. Facile quand tout vous tombe tout cuit dans le bec. Moi, je me suis fait tout seul.

— Vous êtes un homme…

— Et alors ? Les femmes veulent l'égalité des sexes, non ? (Johnny se penche vers Paul.) C'est pas vrai, Paul ? L'égalité. Mais l'égalité dans quoi ? (À Luci :) Paul connaît bien les femmes… Les Français sont les rois pour ça. (Sourire en biais.) Paris est plein de maquereaux et de gigolos !

– Je te remets ça ? demande Grayson.

Paul acquiesce. Luci le regarde avec de grands yeux étonnés. Il doit être blanc comme un linge. Ses muscles sont crispés. Johnny est en train de s'aiguiser les dents sur lui. Merde, il n'y est pour rien s'il s'est fait foutre sur la gueule par une pute. Qu'est-ce qu'il essaye de prouver ?

Johnny qui insiste :

– Ouais... Et j'suis sûr que c'est un Français qui a bouffé la pomme que lui tendait Ève. Adam devait être un Frenchy. À cause de ce naze qu'on en est tous à ramper pour lécher le cul de ces pouffiasses !

Luci glousse. Johnny la fait rigoler. Paul s'étrangle à moitié et repose brutalement son verre.

– M'sieur West, je crois que vous allez un peu loin...

– J'vais loin, moi ? ! (À Luci :) J'vais loin, moi ?

Luci :

– Vous êtes un sacré phénomène !

Johnny, à Paul :

– C'est une vraie femme qui parle. Tu l'entends ? Elle dit que je suis un phénomène ! C'est un compliment ça, hein ? Une femme qui connaît les hommes. Écoute-la un peu, Paul !

Luci glousse de plus belle. Elle tombe à moitié de son siège et se rattrape au bras de Johnny qui en profite pour lui enserrer la taille et la peloter au passage. Paul est au bord du scandale. Le sang qui bout. Il se lève brusquement, contourne Johnny et fonce droit sur Luci.

– Tu vois donc pas qu'il se paye notre tête à tous les deux ! Réagis, merde !

Johnny pagaye dans sa soûlerie, essaie de remonter le courant. Il tire Paul par la manche.

– Reste à ta place, Frenchy ! On t'a pas sonné.

124

Paul se dégage d'une saccade. La scène frise l'esclandre. Grayson arrive vers eux. Bernie dort sur un coude à l'autre bout du bar, un œil entrouvert.

Luci émet un ricanement idiot en se balançant d'une fesse sur l'autre. Elle proteste vaguement quand Paul tente de la mettre debout. Ce connard de Johnny se met à hurler :

— BORDEL ! MAIS VIREZ-MOI CE PETIT ENCULÉ DE FRENCHMAN D'ICI ET TOUT DE SUITE !

Luci balbutie quelque chose d'inaudible. Paul la hisse contre lui. Il a les nerfs fous. Capable de fracasser une montagne d'un coup de poing. Il fait à Grayson :

— Je la remonte dans sa chambre.

Johnny s'agrippe à la barre de cuivre et se dresse sur ses jambes. Il est rubicond.

— VOUS ÊTES TOUS MORTS ! il braille. DES PUTAINS DE CADAVRES QUI SUINTENT LA MERDE ! NON MAIS REGARDEZ-MOI ÇA !

Il tangue dangereusement. La rampe de spots le blafarde de ses rayons. Paul l'écarte d'une bourrade tout en soutenant Luci qui plie des genoux.

… Et l'araignée qui du fond de sa toile…

Johnny. Son Stetson qui roule au sol. Son bras qui se lève. Main ouverte prête à s'abattre sur Paul. Grayson galope pour faire le tour du bar en criant :

— HÉ ! HO ! STOP !

Paul plisse les paupières pour accuser la gifle mais le geste de Johnny est bloqué net par trois doigts qui lui tordent le poignet. Trois doigts étrangement frêles et vigoureux. La gueule de Saint John se crispe de douleur.

L'énigmatique Costard bleu roi, l'œil froid et transparent, rabat brutalement le bras de Johnny en soufflant un jet de vapeur par les narines. Ses lèvres grises comme une banquise s'entrebâillent à peine pour dire :

– *Vedrà il occhio nero questa sera !*

Johnny vire subitement au blême maladif. Il ouvre grand la bouche mais ne sort rien d'autre qu'un :

– Beu beu arrgh...

– *Il occhio nero... cuesta sera...,* répète Costard bleu roi, lâchant le poignet de Johnny et se reculant d'un pas.

Paul est trop occupé par Luci qui s'affale contre lui à demi inconsciente pour analyser la situation. Il voit seulement le regard de l'étrange bonhomme et sait qu'il s'agit d'un tueur. Au même moment Bernie sort de sa léthargie, survole la scène d'un coup d'œil et déclenche l'alerte générale dans son système parano. Grayson reste figé comme un bloc de gelée au milieu de tout ça. Paul file vers l'ascenseur en traînant Luci qui raye la moquette de ses talons aiguilles. Bernie se précipite dans les escaliers en gueulant :

– ILS SONT LÀ ! ILS SONT LÀ ! JEEEEZZUS ! ILS SONT LÀ ! SAUVEZ L'AMOUR ! SAUVEZ L'AMOUR !

Trois ostéopathes tendent le cou depuis leur table. Ils voudraient bien commander une dernière tournée mais le Tropico Bar dégage soudain un insalubre parfum. La déroute. Johnny est agité d'un long tremblement convulsif. Voit s'ouvrir devant lui l'abîme débraillé où tout vertige aboutit. FIN DE PARCOURS. Bill Terminus – c'est le surnom de Costard bleu roi – se tient dans le dernier virage avant la chute...

9

LORSQUE BÉBÉ PARAÎT

Il la jette sur le lit. Elle se retourne et gémit. La chambre de Luci est sens dessus dessous. Des fringues partout. Robes longues et corsages froissés. Chaussures, serviette de plage et slips tire-bouchonnés. Il éteint le plafonnier et allume la lampe de chevet. Arrache le nœud papillon, déboutonne son col de chemise. La regarde. Ses cheveux embrouillés, la robe remontée sur ses cuisses...

Des distances sidérales... Des années-lumière de silence. Chambre d'hôtel. Et ce désert poignant qui le reprend, lui, et le serre à la gorge. La poigne brutale de la solitude. Il ramasse un chemisier sur le dossier du fauteuil, fait glisser le tissu satiné entre ses doigts et le porte à ses lèvres. Parfum fané... Parfum de Luci...

Pourquoi cet anéantissement subit ? Il appuie le front contre la fenêtre. Cherche une lumière dans le noir du ciel. Un vague scintillement et la clarté bleue des réverbères qui longent la promenade. Des distances sidérales... Il revient près d'elle. Une bouteille de champagne vide roule sous son pied et va buter contre le bois du lit. Luci dort d'un sommeil agité, répandant dans la pièce une odeur d'alcool tiède. Il effleure son épaule. Il voudrait parler... dire qu'il ferait n'importe quoi pour elle, pour que rien ne les sépare jamais... qu'il a besoin de son amour... mais se sent complètement démuni. Il se redresse. Fait les cent pas. « Se ressaisir, Paul. Ressaisis-toi ! T'es pas seul. Pas de quoi en faire un drame. Okay, elle est soûle, et alors ? »

Une bouteille de vodka est posée sur la coiffeuse. Il en boit une rasade au goulot. À côté un tube de quelque chose. Barbituriques. Un billet d'avion pour New York. Eastern Airlines. Du rouge à lèvres et un paquet de mouchoirs en papier. La solitude des objets est presque palpable. C'est peut-être ça qui rend le vide plus effrayant encore : cette consistance indéfinissable, cette absente présence. Chambre d'hôtel. Elle remue. Il se retourne. Respiration lourde de Luci. Dans quelques heures son avion s'envole. Il va rester là et écouter son souffle, respirer son au-delà et s'enivrer jusqu'au matin de ces buées d'elle...

Sur le miroir de la salle de bains il écrit au rouge à lèvres :

« JE T'AIME. »

Il allume une cigarette et s'assoit sur le rebord de la baignoire. Les blanches secondes du silence défilent sous ses yeux au rythme du robinet qui goutte... Clapaticlop ! Paul ressemble à une carte postale du chaos de l'âme. Un chien qui ne trouve pas sa place. Nulle part. N'importe où. Et qui tourne, qui tourne et tourne dans les brouillards et les aubes jusqu'à tomber de vertige. Il repasse dans la chambre. Avale une maousse gorgée de vodka. Luci est en travers du lit, un bras ballant, le nez écrasé sur le drap.

C'est fou ce qu'un poète se torture… Tout pourrait être si simple. La vie. S'il n'y avait pas ce désert intérieur qu'il tente si fébrilement de repeupler, ce trou obscur et béant par où s'enfuit le temps présent… Il retourne dans la salle de bains, jette son mégot dans le lavabo. Clapaticlop clopoticlop ! Personnages du roman… Trame… Tout se barre. Tout crame. Feu à la brousse. Feu qui le dévore et le rogne. Assis sur le rebord de la baignoire. Carte postale du chaos noir de l'âme. Mourir… non, même pas… Ça fait trop mal. « Un peu de confiance en toi, merde ! » Il se lève et rajoute sur le miroir :

« I WANT TO MARRY YOU. »

L'alcool le réchauffe. Il entend une lointaine sonnerie de téléphone. Une cabine qui flotte sur l'Hudson. L'éblouissement de la baie de Manhattan. Si loin… si loin de lui ce soir, à des années-lumière de silence.

Bill Terminus ne se fait aucun souci. Il sort sur le parking et s'écarte des lumières. Une fois que le poisson est ferré, aucune chance pour qu'il lui échappe. En ce qui le concerne Johnny West est déjà en route pour le néant. Il pose la sacoche de cuir à ses pieds et s'agenouille.

Le bébé est un 44 Magnum nickelé sur lequel il visse un silencieux. Johnny peut toujours courir. En ce qui concerne Bill Terminus, il prend juste un ultime bol d'air. Aucune chance pour qu'il diffère son départ vers les sphères du rien total. Une fois que le poisson est ferré il le laisse nager encore un petit moment par pur plaisir. On ne tue vraiment bien que lorsqu'on a convenablement laissé vivre. L'éthique de Bill lui confère un certain savoir-vivre qui fait de lui l'un des exterminateurs les plus snobs du Syndicat. Une classe, une tenue, un maintien qui imposent le respect. Le crime est une religion. Bill Terminus dit la messe.

La crosse du bébé est munie de coussinets de caoutchouc qui adhèrent parfaitement à la paume. Ce n'est plus Johnny West qui court entre les bagnoles, c'est déjà son ombre. Bill avance au ralenti. Chien du flingue relevé. Nuit moite. Il sent son nœud de cravate qui lui colle à la glotte. Il ne sait pas grand-chose sur l'homme qu'il doit tuer. Juste qu'il a poussé le bouchon un peu loin. Dettes accumulées et comptes mal réglés. L'Organisation a les idées larges mais au-delà d'un certain palier, c'est irréversible : *DEATH PENALTY*. Johnny West a construit son business sur des capitaux de la Mafia et maintenant il joue les cavaliers solitaires. Malheur à lui. L'ingratitude est un fruit véreux. Bill est là pour faire sauter le noyau. Il se faufile. Il se profile. Sa silhouette s'effile dans un rai de clarté. En ce qui le concerne...

Johnny peut toujours courir. Johnny peut courir. Il fait rien de plus que tirer sur le fil. Dernière ligne droite avant le plongeon dans les abysses.

Johnny se jette sur la portière avant d'une Lincoln Continental grise et noire. Il tremble tellement que les clés lui échappent et tombent sur l'asphalte. Il se penche. Sueur dans les yeux. Souffle court. Son Stetson pèse trois tonnes. Mal au crâne. Relent de biture. Il grimpe à bord et sous la lumière palpitante du plafonnier enfonce la clé de contact dans la fente...

Alors bébé apparaît dans l'angle de son champ

de vision. L'œil noir du 44 luit d'un éclat bleuté. La phalange de Bill Terminus blanchit sur la détente…

KPOW !

Bébé tressaute dans sa paume. *Once*…

KPOW !

… *Twice*. Et Johnny West s'effondre sur le volant la gorge trouée de part en part. Un trou de la taille d'une balle de golf qui pisse joliment le sang avec un sifflement grave et turbulent. Bill referme la portière et s'éloigne du même pas égal et régulier. Il repêche sa sacoche qu'il avait glissée sous une Buick crème, couche bébé dans son carré de feutre et regagne l'hôtel. Un seul trou pour deux pruneaux. Du travail soigné. La signature d'un professionnel. Il étouffe un bâillement en traversant le hall désert. Une bonne nuit de sommeil maintenant… En ce qui le concerne c'est toujours le même ciel au-dessus de sa tête…

Au moment où Johnny rend l'âme…

Bernie saute le rail qui borde la Route 17 et plonge dans le sous-bois. Une cohorte d'« Ombres-puantes » le talonnent. L'air empeste. Il arrache sa veste de barman qu'il balance derrière lui. Son pantalon lacéré lui bat les mollets. Bernie court droit vers sa croix. Puisque c'est ça qu'ils veulent, qu'on en finisse… Un voile de sang recouvre déjà ses yeux. Les marteaux dans son crâne. Les hurlements. FLICS DES TÉNÈBRES. Guerres. Napalm. L'enfer dans le ventre. Les crocs plantés dans son cœur qui le déchirent. Il saute les buissons, traîne des paquets de ronces pour sa couronne d'épines. CHRIST ! CHRIST ! DÉLIVRE-NOUS DU MAL ! ENVOIE-NOUS TON PARDON ! QUE TON RÈGNE ARRIVE ! Il court à la vitesse d'une comète se précipitant vers la fin du monde. La nuit est partout. La mort est partout. Il court et l'abîme est tout autour de lui, empli de cadavres, bouffi de misère et d'horreur. Les marteaux dans son crâne. Les hurlements. IL N'A RIEN VOULU DE TOUT ÇA! Il trébuche, tombe sur les mains et se relève. MON DIEU, POURQUOI M'AS-TU ABANDONNÉ? Bernie entend le choc sourd des armées. On crie son nom dans les haut-parleurs. Une nuée d'hélicoptères crève le ciel. Phares braqués sur lui. Le crépitement des armes. Les Romains d'Amérique distribuent le massacre en son nom. D'est en ouest. La mort est partout. Il est le père. Il est le fils. Il est l'assassin. L'air empeste.

Quand il débouche au bout de la longue pelouse qui s'étale devant la maison, un croissant de lune apparaît par une trouée dans les nuages. La croix se découpe sur le ciel, bras ouverts. Il se laisse choir sur les genoux, hors d'haleine, les yeux brûlés par la sueur et les larmes. Qu'on le prenne! Qu'on l'emporte! Il lève les mains et voit une pluie de sang s'abattre sur le jardin. Deux taches noirâtres lui rongent les paumes. Des hurlements dans son dos. Le fracas des branches écrasées. Une foule hallucinée qui marche vers lui. Il roule sur le flanc en crachant un dernier cri d'amour dans l'herbe humide...

10

BIENVENUE À MARBELLA'S COURT

Paul regarde son linge tourner à travers le hublot, brassé par un tourbillon d'eau mousseuse. Il est dans la laverie automatique du *Dunehill shopping center*. Dernière machine au bout de la rangée. Une demi-douzaine de bonnes femmes s'agitent dans la grande salle carrelée. DRUM-DRUM-DRUM... Bourdonnement des séchoirs et le TAGADAP-SCHLOP-TOGODOP-CATASCHLAK des essoreuses grand format. Sur la vitre, peint en lettres blanches, le slogan de la maison : « FRAIS COMME UNE FLEUR EN MOINS D'UNE HEURE ». Paul fait contraste. Il est fripé comme une vieille toile de bâche, encore sous le coup de sa beuverie d'hier avec Mike, Bob et les autres. Des frelons dans le crâne et l'estomac au bord de l'ulcère. Cette dernière semaine fut particulièrement pénible en rebondissements. Johnny West retrouvé assassiné dans sa bagnole sur le parking de l'hôtel. Le ramdam qui s'ensuit. Paul interrogé par les flics tandis que Luci décolle pour New York. Mystérieux Costard bleu roi s'est évaporé. Au matin on découvre dans sa chambre du douzième étage qu'une empreinte au creux du drap. Les flics de Crescent sont dépassés. Les liens de Johnny West avec la Mafia sont pas secret d'État mais l'idée que des killers professionnels viennent cartonner dans la paisible cité balnéaire leur flanque la contrariété. Tout ça c'est rien encore... Quand Paul rentre enfin chez Bernie vers les onze heures du matin...

– *So... even french waiters do their laundry !* s'exclame une voix derrière lui. « Même les serveurs font leur lessive. »

Paul se retourne, paupières à plat, proche de la nausée. Il supporte pas le gin. À chaque fois les lendemains sont cauchemars. Une connasse à cheveux roses le fixe avec des yeux ronds. Elle tient un baquet de linge prêt à passer dans le séchoir. Il hausse les épaules.

– Vous nous avez servis mon mari et moi l'autre soir, au Hilton !

– J'ai une gueule de bois monstre, crache-t-il, acerbe. Je lave mon linge parce qu'il y a personne pour le faire à ma place. Ça m'amuse pas. D'ailleurs rien ne m'amuse.

– Oooh... elle fait. *Sorry*... Vous êtes tellement *charming*...

La machine passe sur essorage. SPIN. TROGODOM-KAMKAM ! Le tambour se met à battre le linge...

Donc, il trouve Bernie... accroché à sa croix. Il est onze heures du matin. Soleil de plomb. Bernie rissole sur sa putain de croix. L'imbécile avait réussi à planter son bout de bois avant de partir travailler. Elle penche bizarrement mais elle tient bon et il est suspendu par les bras, jambes molles. Un sacré tour de force pour grimper là-dessus et s'attacher les poignets avec

134

de la corde. Paul s'est même demandé un moment si quelqu'un l'avait aidé ou pas... Non, pas de délire. Cet abruti s'est crucifié tout seul. Faut le voir pour y croire. Paul le décroche, monté sur un escabeau. Bernie est inconscient, l'œil révulsé, les mains bleuies. Il le traîne dans le gazon jusqu'à la maison et l'installe sur le divan du salon. Un coup de fil à Doc Goofy et le toubib déboule dix minutes plus tard. Le Christ revient à lui après un maxi-shoot de benzédrine et une overdose de vitamines. NOTRE PÈRE QUI ÊTES AUX CIEUX...

Faut lui expliquer qu'il est encore chez les vivants. Il met du temps à comprendre. À poil sur le divan, il continue sur sa lancée : la planète en proie aux forces du mal cherche à le trucider, à le sacrifier. Il va payer pour les holocaustes et les génocides. C'est son lot. Il est là pour morfler. Doc Goofy roule un joint et lui plaisante la chose. Comme quoi on est tous des messies avec un message d'amour à délivrer depuis que le L.S.D. est sur le marché. L'illumination est un phénomène chimique. Pas de quoi s'affoler. Récemment encore un guitariste de groupe pop se prenait pour le pape. Une cure de désintox et un peu de repos, le mec en est revenu à des abstractions plus cool. Pendant qu'on y est... Doc Goofy en profite pour s'injecter un quart de gramme de cocaïne. Une bolivienne de choix, il explique tout en continuant à faire la conversation. Il est pas accro... la preuve ça fait douze ans qu'il se pique et il peut arrêter quand il veut...

La machine stoppe. Paul sort ses deux kilos de fringues et les balance dans un séchoir. Il glisse deux pièces dans la fente et sort fumer une cigarette. Ciel couvert. Menace d'ouragans à nouveau.

Les experts météo prévoient un mois de septembre catastrophique. David n'était que l'avant-coureur. La connasse à cheveux roses lui adresse un sourire puant et monte dans une grosse Oldsmobile rouge. Il perd son regard là-haut...

Nuages... nuages...

On ne peut que se courber devant la force fragile de Bernie... Il est quand même en piteux état et Doc Goofy conseille de le conduire à l'hôpital. Il a de multiples élongations et de possibles claquages musculaires. Paul l'emmène dans son oiseau de feu. Raconte au type des urgences que Bernie s'entraîne pour le championnat universitaire de gymnastique et qu'il a un peu forcé la dose. Moue sceptique de la blouse blanche. Paul attend dans le hall pendant qu'on passe le Christ de jardin aux rayons X. Tohu-bohu. Chambard d'enfer. Bruit de vaisselle cassée. Cris de bête. Et Bernie ressort au galop, coursé par deux infirmiers en pétard. La benzédrine de Doc Goofy l'a tellement réveillé que les drapeaux de la parano se remettent à claquer au vent. Bernie a reconnu un killer de la Mafia déguisé en toubib. Il a beau être un paquet de douleur il pique un sprint démentiel à travers le parking, saute la barrière du parc et disparaît dans la palmeraie. Les grandes douleurs ont la vie dure. Paul s'élance derrière lui. Il n'a jamais eu d'endurance mais au sprint il est imbattable. Il plaque Bernie dans un buisson d'épineux. Roulade. Paul encaisse un mauvais coup de coude dans la mâchoire. Il en a marre d'assurer pour ce loufdingue. Après ça, il arrête les frais. S'en lave les mains. Il va y perdre sa santé. Quand Bernie va apprendre ce qui est arrivé à Johnny West, c'est sûr qu'il va franchir

les dernières balises de la raison – ILS SONT ICI !
– et dégringoler dans les sous-espaces mégaloma-
niaques.

Paul le secoue. C'est bien beau d'œuvrer pour
le désespoir planétaire mais il faudrait un peu penser
aux copains qui essayent de limiter les dégâts et
qui passent la serpillière. Mike est peut-être dans
le vrai quand il dit que l'amitié a des limites. Mais
Bernie est d'une telle nudité dans ses bras que Paul
en a mal au ventre pour lui. Il a tout simplement
envie de dire : « Je suis là. T'en fais pas. »

Il enfourne son linge dans le sac de toile en
réfléchissant à tout ça. Un détour par le drugstore
pour s'acheter du plâtre stomacal. Il croise un
groupe de filles en short qui lui font de joyeux
signes. C'est vrai que Crescent continue de fonctionner comme n'importe quelle plage du Sud.
On y vient pour la joie de vivre et l'insouciance.

Donc, il récupère Bernie et ils quittent l'hosto.
Paul l'écoute déblatérer un moment à propos du
complot dont il est l'objet et évite tout commentaire sur les circonstances de la crucifixion. Bernie
est prêt à témoigner que la C.I.A. a tout organisé.
Son âme devait être empaquetée sous vide et
fourguée à des agents étrangers. La discussion est
difficile mais Bernie se laisse convaincre d'aller
passer un moment chez les babas. S'y louer un
cabanon et se faire remarquer le moins possible.
Pendant ce temps-là, Paul se met sérieusement
en quête d'une maison. Luci rapplique dans trois
jours et il a un tas de choses à mettre au clair.
Le Hilton débauche à tour de bras comme à
chaque fin de saison. Il risque de se retrouver
Captain à mi-temps avec un salaire à coucher
dehors...

Meher Baba aurait déclaré en posant le pied à Crescent Beach que cette terre avait jadis appartenu au continent perdu d'Atlantis. Paul accompagne Bernie jusqu'au bâtiment d'accueil en croisant quelques tronches de continent perdu. Vieux soldats du rock. Délaissés de la dope. Chercheurs infatigables de la défonce naturelle souveraine. L'UN EST TOUT ET LE TOUT EST UN. Tous ces types connaissent la vie de Bouddha sur le bout des doigts mais s'emmêlent les pédales dès qu'ils essayent de retracer leur chemin tordu depuis la dernière sauterie de Malibu jusqu'au détachement absolu. Au moins aujourd'hui personne n'a avalé sa langue. Bernie règle les formalités en trois minutes. On lui alloue le bungalow 38, et quand ils ressortent le portier leur fait un signe amical de la main. Pas de rancune ici. Et puis pour se justifier, le centre a besoin de nouveaux adeptes. Bernie en est un en puissance. Un peu plus loin ils s'arrêtent devant un auvent de canisses abritant une Ford des années 50 montée sur cales. Chromes impeccables et carrosserie rutilante. Une bande de bénis rasés comme des sous neufs, en robe blanche, sont agenouillés autour, tête inclinée, les yeux mi-clos. Un silence parfait. Une extase abyssale. De temps en temps, l'un d'eux agite une petite clochette de cuivre et ils entonnent en chœur une plainte gutturale qui s'achève en un frémissement d'ailes de mouche dans l'air pétrifié de ce milieu d'après-midi. La Ford servait à transporter l'enveloppe physique du Maître Baba depuis l'aéroport jusqu'au centre lorsqu'il venait rendre visite à ses disciples en Occident.

Du coup la bagnole est devenue objet de culte.

Mécanique sacrée. Temple roulant encore hanté par des parcelles du saint Cul qui écrasa sa banquette. On adore une Ford. « *WE MADE FORD TO LAST FOREVER* » répond le spot publicitaire sur toutes les chaînes de télé d'Amérique. Vision transcendantale d'un gang de joyeux apprentis Bouddhas s'élevant vers les espaces célestes dans une Ford Sublimo nickel. *Where is* le Ciel ? Deuxième à gauche après Karma City. Thanks et à la revoiture ! Le snob plus ultra serait de revenir s'incarner en roue de secours dans une station-service métaphysique...

Bref. Paul abandonne Bernie aux mains d'un groupe sympa de la côte Ouest installé sur la véranda d'un cabanon en train de discuter philosophie. Il remonte l'allée vers le parking en se demandant où est l'Esprit. Dedans ou dehors ? Où se trouve la Voie et dans quoi on baigne... Ceux qui ont trouvé des réponses doivent être sacrément en paix avec leur néant. Veinards.

Il est assis sur la dernière marche du perron, son sac de linge entre les jambes. La croix est toujours plantée dans le jardin. Des lambeaux de corde se balancent au vent. Les événements arrivent en chaîne... Rien ne se produit qui ne soit rattaché au reste de l'univers... Paul grille une cigarette. Un chien noir traverse le gazon et trotte droit vers lui. Le monde s'envoie en l'air dans les terreurs et les horreurs les plus abjectes et un mec, un seul mec à la chimie dérangée, se démène comme un dingue pour se crucifier lui-même et expier les fautes de la race. Les labyrinthes du chaos humain ont de drôles de méandres. Le clebs grimpe les trois marches et pose son derrière à côté de Paul comme si c'était une vieille connaissance. Il a le poil ras et lustré, la truffe brillante. Une mer de nuages glisse au-dessus des arbres. Les lacs du centre de méditation luisent paresseusement.

Paul pourrait voir une nuée de Bouddhas babas monter vers l'azur dans une Ford des années 50 en récitant des mantras... mais il ne voit rien. Juste des reflets dans l'œil d'un chien. Bernie est vivant et tous les autres sont morts ou endormis... Rien ne se produit qui ne soit rattaché... « *WE MADE FORD TO LAST FOREVER...* » Il caresse la tête du clebs qui plisse gentiment les paupières et s'appuie contre lui avec un soupir de bienheureux. Paul pense à son roman qu'il n'écrira jamais. Il pense à Luci. Il pense que s'il est enraciné quelque part c'est dans l'inconnu. Dans le souverain *Nowhere...* Le bonheur doit être fait d'infimes particules de Rien agglutinées les unes aux autres. Une architecture du vide. Faut pas rêver... Les chiens sont les seuls bienheureux...

– Il me reste un mobile-home à louer, fait la vieille en pointant du doigt un baraquement un peu à l'écart des autres. Deux chambres, salon, salle de bains... avec un bar en bois naturel. Machine à laver et séchoir. Pour le prix, c'est pas cher. Faut vous décider maintenant.

Paul hoche la tête. Il balaye du regard le parc où sont rangés une douzaine de mobile-homes blanc et rose. Quatre ou cinq allées de sable gris. Des palmiers nains. L'océan est à une trentaine de mètres, de l'autre côté du boulevard. Tourbillons de poussière sur la route. Un vrai coin pour paumés. Il se sent tout de suite chez lui.

– Cent soixante dollars par mois, reprend la vieille du haut de son balcon. Pas de caution. Payable d'avance.

Paul tâte sa poche poitrine avec toutes ses économies dedans. Cinq cents dollars. La paye de demain qui tombe et après... faudra aviser.

– Je peux visiter ?

Garden City est situé à une douzaine de kilomètres au sud de Crescent. Une bande de terre entre les marais et la plage. Une ligne de maisons de bois sur pilotis et quelques motels. Un mini-mart et une boutique d'articles de pêche. Quelques terrains de camping. Rien d'autre.

La vieille descend de sa terrasse. Le pavillon est une piètre imitation de villa andalouse. C'est pas pour rien que le parc est baptisé « Marbella's Court ». Elle est ficelée dans un peignoir bleu turquoise. Le corps maigre et délabré des alcoolos de longue haleine avec veines apparentes et façade mal ravalée. Un coup de vent pourrait la briser. Elle prend un trousseau de clés accroché à un clou dans le garage et lui fait signe de la suivre. Elle s'appelle madame Wilkins et l'annonce parue dans le *Sun News* de ce matin vantait le calme et l'isolement de l'endroit. Tout ce qu'il faut pour commencer une nouvelle vie. Paul n'avait même pas reposé le journal qu'il s'imaginait déjà en train de planter des tomates sous un petit vent frais, matant d'un œil pensif la frange écumante du Grand Glauque. Luci chantonnant dans la cuisine, occupée à lui préparer de fameux cannellonis à la crème qui seraient bien sûr devenus son plat préféré... L'air serait perlé de sérénité... Un régal...

– Ça me plaît bien..., dit-il en s'accoudant au bar.

L'intérieur du mobile-home est du plus parfait mauvais goût. Soigné jusque dans les détails. D'un confort accablant... La moquette vert pomme lui arrive aux chevilles. On s'y enfonce avec délice. Papier imitation lambris de chêne. Rideaux style rustique aux fenêtres. Des fausses fenêtres à petits carreaux en plexiglas qui ne s'ouvrent pas. Tout est aménagé et prêt à servir. Frigo, cuisinière, etc. Madame Wilkins déclenche l'air conditionné avant de lui montrer les deux chambres.

– Le voisinage est tout ce qu'il y a de plus tranquille, lui fait-elle remarquer. Des couples de retraités. Je ne demande que deux choses à mes locataires : qu'ils payent leur loyer à temps et qu'ils respectent le calme du lieu. À part ça chacun ses affaires. Jusqu'ici je ne prenais que des couples mariés, mais enfin si vous me dites...

Paul s'assoit sur le lit pour tester le matelas.

– C'est comme si c'était fait. On attendait de trouver une maison.

– Évidemment... (Pause.) Vous vous plairez sûrement ici.

L'odeur d'humidité est dissipée en trois minutes par le souffle magique de la climatisation. Le dessus-de-lit et les rideaux de la chambre sont décorés de bateaux à voiles voguant sur des flots rose bonbon. L'armoire à glace en contre-plaqué est recouverte d'un plastique collant façon liège. Un authentique décor de véritable illusion de maison. Un rêve grignoté sur l'absurde. Tellement factice... qu'il sera d'autant plus facile à Paul d'y enterrer à jamais ses derniers espoirs concernant la littérature. Il contemple les murs en carton-pâte et le plafond de polystyrène expansé. Mentir par les mots quand tout est mensonge autour de vous… serait le comble du mauvais goût. IL CROIT ENTENDRE UN CHUINTEMENT DE BRUIT BLANC ET SE TOURNE VERS MADAME WILKINS qui le dévisage subitement avec un soupçon de méfiance.

– Vous seriez pas un artiste dèfois ?

– Oh non… Je suis maître d'hôtel au Hilton… enfin Captain. C'est presque la même chose.

– Parce qu'avec ceux-là on n'a que des ennuis… les artistes. Remarquez, c'est ce que je dis toujours : chacun chez soi et chacun ses affaires. Mais il y a des limites…

BRUIT BLANC.

L'autre piaule est plus petite. Rouge tomate du sol au plafond avec de faux cadres encastrés dans les murs. Image de mouettes survolant les dunes. Manque plus que la fausse cheminée avec un piranha en toc posé dessus.

– Ça me plaît bien…

Il sort son rouleau de billets, compte cent soixante dollars et les tend à la vieille qui serre les coupures entre ses doigts crochus et le gratifie d'un sourire pincé.

– Bienvenue à Marbella's Court… Comme je dis toujours à mes nouveaux locataires : si vous ne trouvez pas le bonheur à Marbella's Court vous le trouverez pas ailleurs…

Ce soir-là, en quittant l'hôtel, Paul se précipite chez Bernie et appelle New York au téléphone. Bip-bip des pulsations de son cœur traversant le pays jusqu'à Luci. Ombres de lune dans la maison vide. Une sonnerie retentit très loin… dans les brumes d'un monde aux limites du monde. LUCI ! LA VILLE T'APPARTIENT ! J'AI TROUVÉ UNE MAISON POUR NOUS DEUX ! EST-CE QUE TU VEUX TOUJOURS

M'ÉPOUSER ? JE NE PEUX PAS VIVRE SANS TOI ! La cigarette lui échappe des doigts. Il s'accroche au combiné du téléphone comme un oiseau désespéré. Elle est chez une amie et il entend des rires derrière sa voix. Il y a une petite fête. Trois fois rien. L'anniversaire de Terry, le boy-friend de Cindy. On boit juste un verre ou deux. Bien sûr que tu me manques, Poôl. *I feel so alone without you... among all these people... GREAAT! Garden City! I JUST LOOOOVE GARDEN CITY! OF COURSE I WANNA MARRY YOU! MOM IS JUST DYING TO MEET YOU!* Elle a vu son agent artistique qui va lui chercher des contrats en Caroline : Charleston, Columbia, Greenville. Il lui raconte les suites de l'affaire Johnny West en quelques mots. Les unités défilent. Leurs voix s'espacent. Quelqu'un a mis un disque de free-jazz et Luci demande qu'on baisse le son. Paul entend des glaçons tinter dans l'écouteur. Elle lui dit qu'elle lui rapporte une surprise. Elle éclate de rire. Son rire résonne, loin... très loin... Dans les brumes d'un autre monde. Paul lui décrit le mobile-home. Le bar en bois naturel. IL Y A UN PETIT BOUT DE TERRAIN AVEC DES PALMIERS ET UN PIN PARASOL ! ON VA ÊTRE TELLEMENT HEUREUX ! Il a des sanglots idiots dans la gorge et termine par une fusée de détresse : REVIENS !

Il ne raccroche pas tout de suite. Écoute l'écho du vide à l'autre bout du fil. Le buzz-buzz du silence qui traverse l'Amérique et se perd quelque part dans Manhattan. Luci doit terminer son drink dans les vapeurs de cette soirée, se mêler aux conversations sans suite de Terry, de Cindy et des autres. Quelqu'un a remonté le volume de la sono. On ne s'entend plus. Paul n'a jamais bandé pour le free-jazz. Il raccroche. Se met à errer dans la maison. Se verse un scotch sans glace et sort sur le palier. Le croissant de lune mord à pleines dents dans le noir du ciel. Pas de vent. La croix toujours plantée là. Il descend les trois marches, va prendre la pelle couchée le long de la façade. Quand il s'approche du petit monticule de terre, décidé à abattre cette foutue croix de malheur, un grognement mauvais le fait sursauter. Tout proche. Son sang se glace. Il sonde la pénombre et distingue une forme qui avance vers lui. Les prunelles brillantes du chien et ses babines retroussées ne laissent aucun doute quant à ses intentions : il est prêt à attaquer. Paul lève la pelle et recule d'un pas. Le clebs le contourne au ralenti tout en continuant à gronder. Le noiraud sympa de tout à l'heure s'est changé en bête menaçante. Paul le suit du regard, les doigts crispés sur le manche de l'instrument. Vertige froid au creux du ventre.

– Tchhhhuuut tchhhhhuuut… eh ben ! mon vieux ! Tu me reconnais pas ?

– GRRRRRRR RRRRRROOOOORRR…

– Du calme… Tout doux…

– GRRRRRR RRRRRROOOOOOORRRR…

Pas de dialogue possible. Paul sent une sueur rance l'humecter. Ça se met à tourner dans sa tête. L'animal s'est placé au pied de la croix. Un rayon de lune fait luire ses crocs. Il cesse soudain de gronder et lance un long hurlement à la mort. Un sacré putain de hurlement à flanquer la chair de poule à une colonie de zombies. Paul voit le sommet de la croix osciller dans le ciel… à moins que ce soit les nuages qui passent plus vite. Il ne sait plus. Sa vue se brouille. Merde. Et la pelle qui lui échappe des mains. Et ses genoux qui tremblent. La moitié de son corps est en coton. L'autre lui fait mal en roulant au sol. Le cri du clebs résonne dans toutes les chambres de son crâne. Il n'entend même pas son propre râle d'agonie comme il est en train de tourner de l'œil en mordant le gazon. Son cœur se remplit de sang et devient aussi lourd qu'une pierre. Syncope. Le saut dans la noirceur abrupte. Des buffles sombres traversent au galop l'espace non banalisé du cauchemar. Tout ce qui s'émeut se meurt.

Une langue râpeuse léchant son visage le ramène à lui. Paul est couché sur le dos. Cerveau engourdi. Il bouge un bras et plaque la main sur son cœur. Battements hachés, mais la vie est là. Les démons du monde souterrain l'ont laissé filer in extremis. Le chien maintenant couine faiblement et entre les coups de langue frotte sa truffe humide contre la joue de Paul. L'ombre d'un nuage leur passe dessus.

Paul se redresse sur un coude. Qu'est-ce qui transforme un toutou en loup-garou ? Il se palpe à l'endroit du cœur. Le balancier a retrouvé sa vitesse de croisière. Il se remet debout. Doucement. Sans brusquer les choses. Noiraud court dans ses jambes en remuant la queue, copain, comme si rien n'était arrivé. Paul récupère son verre de scotch laissé sur le perron et l'avale d'un trait. Il a encore les pieds glacés et des fourmis dans le bout des doigts. La vue de la croix le fout encore plus mal à l'aise. Un truc à rendre les chiens enragés. Pas question qu'il aille l'abattre tout seul.

Il allume une cigarette et rentre dans la maison. Il se verse un drink bien tassé. Passe dans le salon et se regarde dans la glace. Il est d'une pâleur terrible. Des cernes mauves lui soulignent les yeux. LA PHASE ULTIME, disait Bernie, est pressentie par quelques-uns de manière animale. La mécanique vitale se dérègle. Les organes essentiels déconnent et des troubles de la perception apparaissent. L'enfer remonte du ventre et se propage partout.

Il se claque la joue. Un peu de couleur lui revient. Il débloque. À croire que Bernie a réussi à lui refiler sa parano cosmique. Il vide son verre et part dans la cuisine faire le plein. Noiraud est toujours dans ses pattes. Il lui vient une idée. Il prend un bol dans le placard, le remplit moitié scotch moitié eau et le dépose devant le chien qui flaire un moment et se met à laper joyeusement.

– On va se soûler la gueule tous les deux, machin... Comment tu t'appelles ? T'as une maison au moins ?

– SCHLAP SCHLOP SCHLAP SCHLOP...

– T'as senti quelque chose là-bas, hein ? Tu m'as flanqué une sacrée trouille ! T'as frôlé le massacre à la pelle de jardin et moi... la crise cardiaque. Tout ça à cause de ce connard qui se prend pour le Christ ! (Le chien relève la tête. Bout de museau blanc et truffe guillerette.) J't'en ressers un ?

Ils sont toujours en train de discuter et de picoler dans la cuisine, dans le noir, avec juste un peu de jus de lune qui dégouline sur le carreau, quand un moteur de bagnole les fait sursauter tous les deux. Le faisceau lumineux d'une paire de phares balaye le mur avant de s'éteindre.

Paul ravale un bol d'aigreurs qui lui remonte

depuis l'estomac. Il est près de trois heures du matin. Noiraud a le regard dans le vague, écroulé contre la cuisinière. À chaque fois qu'il veut se relever ses pattes avant dérapent sur le carrelage et il retombe avec un jappement de pochard contrarié.

Pourvu que ce soit pas Bernie que les babas ramènent... Avant d'aller à la porte, Paul fait :

— J'ai comme l'idée que toi et moi, on est du même bord, machin. Si t'as pas de home, je t'emmène. Luci va t'adorer. T'auras un lopin de terre pour pisser et quelque chose de valable à défendre. Réfléchis...

PONG ! Noiraud s'affale sur la mâchoire inférieure et commence aussitôt à ronfler. C'est sans doute sa première cuite. La nuit porte conseil.

Il trouve Mike sur le seuil, un six-pack entamé à la main, allumé comme une nuit de Noël et l'œil chaviré.

— T'es encore pire que moi... dit Paul en se gommant pour le laisser entrer. Tu conduis dans cet état !

Il allume dans le salon.

— Arrête tes conneries... Jamais vu des virages aussi vaches que ce soir ! Deux bandes blanches et des fossés partout. Peut plus se fier à rien. Tout fout le camp.

— C'est ça que t'es venu me dire ?

Mike s'écroule sur le canapé, tire une canette du carton et la décapsule en hochant la tête d'un air biaiseur.

— Putain de ta mère... C'est pas plutôt toi qui aurais des trucs à dire aux copains ?

— T'as laissé Jill à la maison ? Ça va, vous deux ?

– Détourne pas la conversation espèce de cachottier de mes deux !

Paul va chercher son verre dans la cuisine, manque d'écraser la queue de Noiraud qui roupille en travers du chemin. Mike gueule depuis le salon :

– J'suis venu t'éviter les pires emmerdes ! Tu devrais m'embrasser et m'appeler ton sauveur, 'spèce de *fucker* !

– Qu'est-ce que tu racontes ?

Paul se cale dans l'encadrement de la porte. Mike éclate d'un gros rire.

– Maintenant je sais pourquoi on appelle les French des *froggies* !

– Et pourquoi ça ?

– Parce qu'ils ont le chic pour sauter au moment où on va les attraper ! Comme les grenouilles !

– Je vois pas le rapport…

– Non ? Seulement là, t'es coincé, mon vieux. Si c'était un secret, t'avais qu'à t'y prendre un peu mieux.

Paul, perplexe comme deux ronds de flan :

– Un peu mieux que quoi ?

Mike termine sa canette et enchaîne illico sur la suivante. Il rote et dit :

– Quand on se met à écrire sa demande en mariage au rouge à lèvres sur les miroirs de salle de bains de chambre d'hôtel, faut être sérieusement frappé ! J'sais bien que l'amour rend con et aveugle mais…

Paul le coupe, soufflé :

– D'où tu tiens ça ?

Mike, énigmatique et goguenard :

– Mes sources…

– Tes sources, mon cul !

– C'est Thanos qui m'a dit. Il tenait ça de je-sais-pas-qui à l'Hilton. (Il prend une expression presque douloureuse :) Pourquoi tu veux te marier ?

Paul réfléchit deux secondes. Il aura suffi qu'une femme de chambre le voie sortir de la piaule de Luci et lise le message en venant faire la chambre pour que...

– Pourquoi tu veux te marier, Paul ?

– Parce que j'arrive pas à écrire mon roman...

Mike secoue la tête avec une moue dégoûtée :

– La plus foireuse raison que j'aie jamais entendue !

– Il n'y a que les intentions qui comptent. Les miennes sont claires. Et puis qu'est-ce que ça peut te foutre ?

Mike allume un joint et esquisse un sourire derrière l'écran de fumée.

– Mon frère m'a dit exactement la même chose que toi avant de se marier... Il a divorcé au bout de six mois et tu peux pas savoir ce que la fille a pu le faire chier. Les gonzesses ont tous les droits maintenant. Elles couchent avec un avocat et t'as plus qu'à leur envoyer ta paye chaque semaine. Putain ! Regarde Dave, regarde tous les potes qui sont passés à la mairie avec leur costard du dimanche... ils sont plus les mêmes. Faut dire adieu aux copains ou alors se lancer dans des putains de scènes de ménage en trois dimensions. T'es plus libre. Elles te bouffent ! Elles t'usent !

Il s'arrête, essoufflé, et tend le joint à Paul qui s'approche le verre à la main.

– Tu m'as l'air bien remonté. Tu t'es engueulé avec Jill, c'est ça ?

Mike détourne les yeux.

– Je l'ai foutue à la porte hier si tu veux savoir…
enfin, elle s'est tirée. Une nana comprendra jamais
un mec. C'est l'évidence. T'as pas besoin de te
marier pour comprendre ça. Jill, si c'était pas
tout le temps à-sa-façon c'était jamais bon. Un
vrai enfer quand Bernie était chez nous. C'est lui
ou moi, voilà ce qu'elle m'a lancé à la gueule.
Et c'est leur deal à toutes. Faut s'occuper que
d'elles, regarder qu'elles et parler que d'elles,
autrement t'es un nul, une brute !

Paul relâche un mince filet de fumée les yeux
plissés, calme comme tout. Le ménage alcool et
herbe le met à l'aise dans n'importe quelle situation. Mike a un débit et une conviction qui mas-
quent à peine l'ombre d'un type malheureux. Il
lui repasse le pétard et dit :

– Tu ferais n'importe quoi pour qu'elle revienne, hein ?

Mike tressaute :

– Sûrement pas ! Qu'elle aille au diable !

Paul :

– Elle ira nulle part sans toi, j'en suis sûr.

– Figure-toi que j'ai plus envie de traîner une
chieuse dans mon sillage, vieux. Faire les trucs
que j'ai toujours eu envie de faire. J'voulais être
batteur dans un groupe de rock… J'ai laissé
tomber à cause d'une fille… Regarde, toi, tu veux
écrire. C'est réglé d'avance, tu te mets une nana
sur les bras, terminé. Elle reluquera ta machine
à écrire et elle te dira : C'est elle ou moi. Fais
pas le con, Paul. Ça me ferait trop de peine de
voir un type comme toi… J'veux dire, t'as quelque
chose dans le ventre, ça se sent…

Paul finit par sourire. Mike entame sa troisième
canette et se passe la main dans les cheveux en

soupirant. Ils laissent passer un ange. C'est Paul qui raccroche les wagons.

— Tu sais, j'écris juste pour combler des vides... Et puis j'y arrive pas. C'est jamais ça. Les mots effleurent à peine l'émotion de la vie. C'est trop frustrant. Une femme qu'on aime, c'est quand même ce qui se rapproche le plus de l'émotion, non ?

Mike hausse les épaules.

— Et t'as besoin de te marier pour baiser ?

Paul sent la fatigue qui commence à lui saper les fondations. Le discours de Mike le fait carrément chier. Qu'il aille se déchirer ailleurs. De toute manière il a épuisé son six-pack. *So long, pal !*

LUCI, LA VILLE T'APPARTIENT.

— J'suis pas un mec à certitudes, Mike. Je me dis que j'ai seulement à trouver mon style... Luci est peut-être bien la femme de ma vie. J'ai pas envie de la laisser passer comme ça.

Une canette vide roule sur la moquette. D'un coup de pointe de chaussure désabusé Mike l'envoie buter contre le mur.

Les vieux rockers lèchent leurs blessures comme les chiens, à la dure...

En refermant la porte derrière ce sombre coulis de mornitude de Mike, Paul se dit que même si tout mène à rien ça vaut le coup de faire la somme des choses...

Noiraud a pas bougé de son coin de carrelage. Il cuve. Paul se ressert un dernier verre en guise de bonnet de nuit, et puis il s'agenouille et embrasse le chien sur les yeux. L'animal entrouvre une paupière. Ses babines se retroussent un peu à la manière d'un sourire. Paul lui murmure des conneries dans le creux de l'oreille. Dans ses meilleurs moments, l'existence diffuse une tiédeur de bête endormie. Il se relève et va éteindre dans le salon. Il revient et sirote son drink dans l'obscurité en écoutant le souffle régulier de Noiraud.

– Faudrait que je te trouve un nom, il fait à voix haute. T'as réfléchi à mon offre ? Prends ton temps. Pas de rush. Après tout, il y a peut-être déjà quelqu'un dans ta vie, hein ?

Mû par une soudaine inspiration, il allume la veilleuse, s'accroupit au cul du chien et lui soulève doucement la queue. Pas de couilles.

– Une fille ! T'es une fille ! GÉNIAL !

Noiraude dresse une oreille et se retourne vers lui en fronçant les sourcils, froissée. Il se colle à plat ventre à côté d'elle.

– Qu'est-ce que tu dirais de CRAZY LOU ? Ça te va comme un gant Crazy Lou. (Il se met à chanter :) Ouuuh Crazy Lou ! Je t'embrasse dans le cou ! OOOUUUUH CRAZY LOU ! Tu es mon only you, mon chou bidou bidou ! On est tous des fous ! OOOOUUUUH CRAZY LOU ! Y en a pas deux comme nous... pas deux comme nous dans ce monde de fous ! OOOUUUUH CRAAAAZZZY LOU...

On voit le ciel qui commence à pâlir par la fenêtre. Les dernières étoiles qui s'estompent. La voix délirante de Paul déborde de la maison et s'élève en chavirant comme un vieux blues...

11

TAO-TATTOO

Marbella's Court. Trois heures de l'après-midi. Une bouteille de gin débouchée sur la table de la cuisine. Deux verres vides sur le bar. Des vêtements épars sur le sol. Un jean sale accroché à la poignée de porte de chambre. Le lit grince. Les murs tremblent. Les halètements d'un homme et d'une femme faisant l'amour...

Paul et Luci. Nus. Elle est couchée sur le dos, jambes croisées autour de ses hanches à lui. Le matelas tangue à chaque coup de reins. L'avion de New York n'a pas eu le temps de refroidir qu'ils sont sur le toboggan du plaisir. Ruisselants de sueur malgré la climatisation. Tellement heureux de se retrouver.

Elle plaque les mains sur les épaules de Paul et le repousse doucement.

– Par-derrière, murmure-t-elle. Prends-moi par-derrière.

Les rideaux sont tirés. Juste un rai de lumière traversant la chambre comme un fil d'or. Il se redresse sur les genoux et s'essuie le front du revers de la main. Elle se retourne, à quatre pattes, et trémousse son adorable cul en gloussant. Il écarquille les yeux.

– C'est ma surprise !

– Ta surprise ? il fait, confondu.

Elle porte une tache bleue en haut de la fesse droite. Bleu sombre. Et dans le clair-obscur il n'est pas sûr de ce qu'il voit. Il se penche. Crazy Lou saute sur le lit en aboyant. Les voyant tous les deux à quatre pattes, elle pense qu'il s'agit d'un jeu. Paul l'envoie balader d'une détente du mollet.

– Tu t'es fait tatouer ? ! il s'écrie. Merde, t'es folle !

C'est bien le cercle du Tao. Peint dans la chair de Luci. Du travail propre, impeccable. Le Yin et le Yang à fleur de peau.

– Ça te fait pas plaisir ?

Il ne sait pas quoi dire. Elle reste les fesses en l'air, le regardant par-dessus son épaule, mèches en bataille, l'œil allumé.

– C'est pas ça mais...

– Non, je vois bien. Tu trouves ça moche.

– Non, non.

Il se pose sur un coude. Sourit de travers.

– Qu'est-ce qui t'a pris de faire ça ?

Elle éclate de rire.

– C'est pour la vie tu sais.

– Je sais.

– Rien que pour toi. C'est notre signe secret à tous les deux.

– Ouais.

Elle roule sur le dos en repartant à rigoler.

– Tu verrais ta tête !

Il se force à rire un peu. Des gouttes de sueur tombent sur ses lèvres. Il rejette les cheveux en arrière et dit :

– Il fait une chaleur !

– Tu veux pas savoir qui est-ce qui m'a tatouée ?

– Un veinard à qui t'as montré ton derrière.

Elle frotte ses jambes l'une contre l'autre avec une mine ravie, fière de son effet.

– Richie. Un copain de Long Island. On a fait les quatre cents coups ensemble. C'est un professionnel. C'est lui qui a tatoué la statue de la Liberté sur le chanteur des *Raging Dogs*. Il a eu la couverture du *Rolling Stone*.

– Ah ouais.

– Je croyais que ça te ferait plaisir...

– J'ai rien dit.

Elle l'attrape par le cou et l'attire sur elle. Paul chavire et se laisse aller. Il lui mord les lèvres. Elle pousse un petit cri. La sueur colle leurs ventres.

– T'es une drôle de fille.

– T'as rien vu encore...

Paul tire une cigarette du paquet posé par terre. Son regard fait le tour de la pièce. Crazy Lou est sagement couchée en travers de la porte. Endormie. Les voiliers dansent sur le rideau. Voilà, il est chez lui, couché avec la femme qu'il aime et il baise dans le Tao. Tout baigne. Qu'est-ce qu'il pourrait demander de plus à l'existence ?

– Qu'est-ce que je pourrais demander de plus...

Luci :

– Ça me serait jamais venu à l'idée...

– Quoi ?

– De me faire tatouer... C'est l'autre fois quand je t'ai vu dessiner ça dans le sable, j'ai pensé que ça nous ressemblait. (Elle secoue les cheveux et ajoute avec un sourire radieux :) J'suis folle, hein ?

– J'ai rien dit.

Elle se blottit contre sa poitrine. Il ferme à demi les yeux, la cigarette au coin des lèvres.

— T'es pas fâché ?

— Non. Mais la prochaine fois que tu me fais une surprise, vas-y doucement.

Elle rigole.

— Tu me ressers un verre...

Il se lève et passe dans la cuisine. Regarde le bout de terrain par la fenêtre. Les deux palmiers ébouriffés, le pin solitaire et droit. Il se demande déjà dans quel coin du jardin il va planter ses tomates. Luci a tout de suite aimé Crazy Lou et le mobile-home lui plaît. Pendant qu'il prépare les drinks, il pense qu'il a enfin réussi quelque chose. Un chien, une femme et un chez-soi... c'est pas donné à tout le monde. LE BONHEUR EST DANS TON JARDIN. VA PAS LE CHERCHER AILLEURS. Il se verse une double dose de gin... Un jardin ça s'arrose. Le bonheur aussi. Des angelots rieurs battent des ailes au-dessus de sa tête. Il leur fait un clin d'œil et retourne dans la chambre.

Après qu'ils ont refait l'amour, Paul doit se tirer de sa torpeur, prendre une douche, enfiler son smoking et filer travailler.

— Je vais installer mes affaires et mettre de l'ordre dans la maison, dit-elle. Je me sens bien ici.

— Il y a un mini-mart à cent mètres si tu veux acheter des trucs.

Il est en train de nouer son nœud papillon en face du miroir quand il se remet bêtement à penser à cette connerie... Le mariage d'un jour de Luci. Ils n'en ont jamais reparlé. Ce qui le frappe tout d'un coup c'est la désolante et merveilleuse fragilité des choses. Qu'est-ce qu'il ferait si elle le quittait ? Luci s'étire paresseusement dans le lit. Il se retourne brusquement et fait d'une voix inquiète :

– Tu vas pas me quitter... ?

Elle remonte le drap sous son menton.

– J'ai froid. Tu veux pas baisser l'air conditionné... Et arrête de dire des bêtises, tu vas être en retard.

Une espèce de connard prétentieux à petite mèche en accroche-cœur et lunettes cerclées a pris la place de Bernie au Tropico. Le genre de mec qui embrasse le monde d'un regard blasé et se retourne pour cracher. Il sort sûrement des faubourgs de Nulle-Part-Ville mais il a tout vu et tout compris. Grayson allonge une gueule de mauvais augure. Connard le traite comme son nègre. Paul pige tout de suite l'état des choses et sent planer dans l'air une vraie mère de vinaigre. Il s'accoude au bar et demande un soda à Connard qui lui refuse tout net.

– Je sers pas les employés.

Okay, c'est la fin de soirée et les nerfs affleurent. Paul connaît bien ça. Seulement Connard n'en glande pas une. Le Tropico est presque vide. Grayson est de corvée de vaisselle et les deux serveuses bavardent dans un coin le plateau à la main. De plus le Captain est un cran au-dessus du vulgaire employé. Faut quand même pas déconner !

– Je te demande gentiment... Pas besoin de le prendre sur ce ton.

Connard croise les bras et le toise, narquois.

– Eh, le bar c'est mon domaine. J'ai reçu des consignes. Si tu veux un soda, tu descends à la cafétéria du personnel.

Cinq jours de service et déjà lancé dans les réformes ! Connard a de l'ambition.

– Les règlements c'est comme les roseaux, ça plie, fait Paul.

– Et les emmerdeurs c'est comme la mer, ça se retire. Pousse-toi ailleurs !

Paul ravale un flot de salive acide en crispant les traits. Deux choses qui le rendent malade : les chiottes bouchées et les cons prétentieux. Grayson rapplique illico. Il arrive à la rescousse avec un gobelet de soda et glisse à Connard :

– Laisse, Ronnie. Paul est un mec cool.

Ce qui ne fait qu'envenimer la situation. Chef-barman monte sur ses grands chevaux :

– JE T'AI PAS SONNÉ, TOI ! TU VEUX QUE JE TE COLLE UN RAPPORT !

Paul :

– Eh ! Y a vraiment pas de quoi s'énerver. Tu vas pas foutre ta merde, non ? Personne joue les flics ici.

– ÉCOUTE, MACHIN...

Un couple s'assoit au bar et Connard est obligé de baisser le ton. Grayson vide rageusement le gobelet de soda dans l'évier et va prendre la commande.

– Écoute, machin... T'as rien d'autre à faire ? J'aime pas perdre mon temps. Allez, tire-toi !

Et c'est la dérapade. Paul sent le bloc de colère se détacher irrémédiablement de lui. Connard lui a tourné le dos avec un haussement d'épaules. Il l'attrape par le col de sa veste et le tire brutalement en arrière. Ses lunettes sautent.

– Qu'est-ce tu... balbégaye-t-il.

Tant pis pour son job. Tant pis s'il boit du bouillon de poule pendant tout l'hiver. Paul fait

160

pivoter Connard sur les talons, l'empoigne par la cravate et lui allonge une paire de claques grandeur nature. Il a une ou deux secondes de joie intense. Le frimeur défrimé qui se déconfiote et qui tombe le cul par terre comme un vieil œuf en gelée offre un fabuleux spectacle. Le couple installé au bar se penche pour examiner Connard qui cherche ses lunettes à quatre pattes. Grayz l'enjambe...

— 'TENTION ! hurle l'autre.

Mais trop tard. Le talon du Black atterrit sur les verres correcteurs qui pètent sous le choc.

— J'suis désolé..., s'excuse Grayson avec un sourire épanoui.

Mais son expression se fige aussitôt. Il fixe un point derrière Paul. Paul qui se rend compte que les Noirs peuvent aussi blêmir à l'occasion. Un camion benne de silence se déverse dans le Tropico. Paul se retourne lentement.

Le directeur de l'hôtel, monsieur Hellman, le fusille du regard. C'est sa virée-surprise hebdomadaire. Le vieux a la paupière qui papillote comme sous le coup d'une vive émotion.

— Cette fois, Béhant, vous êtes allé trop loin !

Connard se relève. Il tourne entre ses doigts le cadavre de ses lunettes.

— Ce type est complètement fou, monsieur Hellman ! Il m'a sauté dessus.

— J'ai vu. (À Paul :) Suivez-moi dans mon bureau... Et vous également, Grayson.

Ils descendent tous les trois le grand escalier et disparaissent dans le couloir qui mène à l'administratif. Paul a pris le même chemin quelques mois plus tôt pour demander une augmentation. Ce soir, on lui retire ses galons. La fierté coûte cher et comme d'habitude, c'est les petits cons prétentieux qui ramassent la monnaie et se font payer des lunettes neuves. Hellman prend place derrière son bureau et commence :

– Vous ne me donnez pas le choix... Vous êtes tous les deux mis à la porte. Une telle conduite est impardonnable. Devant des clients ! Vous rendez-vous compte un peu ! INADMISSIBLE !

– Grayson ne mérite pas ça, objecte Paul. Il n'y est pour rien. Le barman m'a provoqué. J'ai perdu mon sang-froid et...

– Dans une profession comme la nôtre, monsieur Béhant, le sang-froid est aussi nécessaire que le savoir-faire. Je ne dénigre pas vos qualités professionnelles, mais votre comportement de ces derniers temps...

Paul est écœuré. Comment est-ce que les gens arrivent à croire plus de trois secondes d'affilée qu'ils sont autre chose que les acteurs minables d'un film éternellement raté. Remplis de merde ! CES TYPES BIEN À L'AISE SONT REMPLIS DE MERDE ! « Une humanité de singes lâches et de chiens mouillés. » C'est fou ce qu'un poète doit bouffer comme salades mortes... avant de sentir craquer sous sa dent la fibre vitale. Hellman est parti dans une longue tirade sur les institutions, la santé morale de la compagnie et tout un tas de grandioses débilités. Paul n'écoute plus. Il regarde Grayson qui a baissé la tête et attend que ça se passe. À travers la voix glacée du directeur on pourrait presque entendre le crachat moucheté du BRUIT BLANC. Bernie a raison sur toute la ligne. Il y a sur cette terre une majorité de Romains prêts à vous enfoncer le premier clou, à vous déchirer le flanc d'un coup de lance. Cette certitude chevillée à l'esprit, Paul parcourt le paysage désolé qui s'étend devant lui : son avenir. Est-ce qu'il abandonne ses écrits et rend Luci heureuse ? Est-il capable de bonheur au moins ? VÉRITABLEMENT CAPABLE. Ou bien se met-il à écrire la nuit pendant qu'elle dort le grand roman de la solitude en Amérique ?

Grayson se prend finalement un mois de mise à pied. Paul et lui se retrouvent dans le vestiaire du personnel une mini-bouteille de cognac à la main. Ils trinquent.

– Cheers !
– Cheers !
– C'est sympa d'avoir pris ma défense, dit Grayz. Ce Ronnie est une vraie saleté. T'en fais pas, dès que je reviens en service, je vais lui en faire baver !

Paul, fataliste :

– Les cons ont une étoile, on y peut rien. Les lèche-culs dans son genre auront toujours un océan de merde pour naviguer en toute impunité.

Grayson allume une cigarette.

– C'est vraiment pourri... (Un temps et puis :) Qu'est-ce que tu vas faire, Paul ?

– T'inquiète pas pour moi. Je donnerai de mes nouvelles. Après tout, je peux toujours revenir comme client me payer la gueule de qui je veux !

Grayz rigole. En fait Paul n'en mène pas large. Perdre son job n'est pas le meilleur moyen de commencer une vie à deux. Surtout qu'après le prochain week-end la plupart des touristes auront quitté Crescent. Trouver un boulot dans une ville fantôme relève de la magie pure... ou du dérisoire absolu.

– Tu devrais aller voir Ed et Jim. Tu sais, ils

organisent des parties à domicile. Ils peuvent peut-être te dépanner...

Paul décapsule une deuxième mini-bouteille et hausse évasivement les épaules. Une heure du matin. Un sale goût dans la bouche que l'alcool n'arrive pas à dissiper. L'abandon de soi c'est accepter ce qui se présente. Lâchez les chiens ! La vie est une fête !

Mais la saloperie de vent qui souffle sur le parking lui rappelle que l'hiver existe en Caroline. Les déphasés de sa trempe vont chercher le bonheur plus bas vers le sud. Pour couronner le tout, son oiseau de feu crachote tristement et refuse de démarrer. Il faut qu'il soulève le capot, qu'il secoue les câbles crasseux et souffle un bon coup dans le gicleur pour que les pistons se mettent enfin à danser.

On doit vivre plusieurs vies à la fois. C'est ça qui fout cette pagaille. Les fils s'emmêlent. Les connexions se brouillent. Autrement ce serait si simple... Seulement voilà, on est trappé dans un hôtel de sept étages avec sept chambres à chaque palier. L'établissement affiche complet et on est seul à occuper toutes les piaules. Même avec toute la bonne foi du monde il y a de quoi perdre les pédales.

La nuit fait défiler ses panneaux lumineux. Paul conduit d'une main, le bras par la vitre baissée, cigarette aux lèvres. Luci l'attend. Il y a peut-être des cannellonis au four. Elle va trouver les mots qu'il faut pour le rassurer. Une nuit d'amour efface un jour amer. Il va quand même pas se laisser abattre par la conjoncture. Encore un quart d'heure et il sera dans les bras de Luci. Le reste peut bien s'écrouler...

12

LA BALADE DE CRAZY LOU

– Ils sont peut-être un peu brûlés...
– Pas du tout. Juste comme j'aime.
– Tu veux rajouter du sel ?
– Non. Plutôt du parmesan.

Le soleil entre à flots dans la cuisine. Un de ces soleils clairs de septembre sans trop d'humidité dans l'air. La fenêtre découpe un carré de ciel bleu que traversent de temps à autre des mouettes planeuses. Dix jours de bonheur. Une longue et délicieuse coulée de miel sur l'existence. C'est vrai que les cannellonis sont un peu cramés mais la sauce est extra. Crazy Lou tourne autour de la table, les oreilles dressées, la truffe frétillante. Les odeurs, elle s'y connaît. Paul trempe un morceau de pain dans la sauce. Elle l'attrape au vol.

– Tu lui donnes de mauvaises habitudes, dit Luci.

– Ce sera jamais une chienne bien élevée de toute façon. Alors autant qu'elle profite des bonnes choses de la vie.

– Paul...
– Oui ?

– J'aurais préféré que tu n'invites pas Bernie.

Il pose sa fourchette sur le bord de l'assiette.

– Tu le connais même pas. Pourquoi tu dis ça ?

– J'ai bien vu comment il se comportait au Tropico…

– Un type comme lui a quand même droit à un moment de répit. Tous ses copains le bazardent sous prétexte qu'il est pas dans les normes.

– Il est FOU.

Paul hausse les épaules.

– Tu peux m'expliquer ce que c'est que la folie, toi ?

Elle le dévisage longuement avant de répondre.

– Les gens se protègent et ils ont raison. Tu es trop faible, Paul. Tu es la proie idéale pour quelqu'un comme Bernie.

– Tu sais pas de quoi tu parles.

– Je vois bien ce qui se passe. Il a besoin d'un naïf dans ton genre pour le prendre en charge. C'est tellement plus facile.

Il se tait. Enfourne une moitié de cannelloni qu'il mâchonne mécaniquement. Le cœur n'y est plus.

– Je ne te demande pas grand-chose, dit-il enfin. Bernie est le seul ami que j'aie. Tu peux faire un effort, non ?

Il la sonde du regard mais Luci détourne les yeux. Elle se sert un verre de valpolicella qu'elle vide presque d'un trait. Quelque chose saute dans les rouages. Il se cramponne au bastingage.

– Qu'est-ce qu'il y a de si incroyable, Luci ? Bernie est un type en or. Je suis sûr que tu vas l'adorer. Je pensais pas que ce serait une telle corvée pour toi. Désolé.

Elle pince les lèvres.

– Tu aurais pu me demander mon avis au lieu de me mettre devant le fait accompli. Des détraqués, j'en vois à longueur d'année dans les bars. Moi aussi, j'ai droit à un peu de répit, tu ne crois pas ?

Paul repousse son assiette. Il se lève brusquement, poings serrés.

– BERNIE N'EST PAS UN DÉTRAQUÉ, BORDEL ! MAIS QU'EST-CE QUE VOUS AVEZ TOUS À VOIR DES DÉMONS PARTOUT ! ON EST TOUS DINGUES ! QU'EST-CE QUE TU CROIS ? Y EN A PAS UN POUR RATTRAPER L'AUTRE !

Luci a reculé dans sa chaise comme sous l'effet d'une gifle. Paul reste planté devant la table. Son cœur cogne dans sa poitrine. Dix jours de bonheur... Il ne voulait pas crier. C'est stupide. Luci n'est pour rien là-dedans. C'est pas son problème. Il court jusqu'à la porte et se jette dans la clarté du dehors.

Il mate son carré de tomates. Les premières feuilles sont sorties hier. Il a pris les plus petites parce qu'elles poussaient plus vite. Des mini-tomates pas plus grosses que des cerises. Juste de quoi faire une salade pygmée avec la récolte entière mais c'est le feeling qui compte. Il les a plantées lui-même. Arrosées à la petite cuiller. Bichonnées. Il leur a parlé. Et elles sont là. Presque là. Dans quelques jours, elles pointeront le bout du nez. Paul s'agenouille et colle l'oreille contre le sol. Peut-être qu'en écoutant bien on peut les entendre se pomponner sous terre.

Quand il se retourne Luci est sur le seuil de la porte avec deux tasses de café. Elle lui crie :

– Ça va prendre du temps avant qu'on puisse y goûter.

– Pas tant que ça, répond-il en la rejoignant.

Elle lui donne une tasse et ils s'assoient côte à côte sur la dernière marche du perron.

– Le type m'a dit une quinzaine de jours, ajoute-t-il.

Il voit bien qu'elle se donne un mal de diable pour jouer le détachement. Le silence s'installe entre eux. Se prolonge. Ils suivent des yeux un couple d'oiseaux qui se chamaillent en se poursuivant d'un arbre à l'autre. Le soleil disparaît derrière un nuage.

Bernie s'est annoncé pour demain soir et doit venir accompagné d'une fille rencontrée chez les babas. Paul l'a appelé depuis la cabine du minimart. Il a dû attendre près d'un quart d'heure que quelqu'un aille frapper à son bungalow. Bernie avait l'air tout heureux de l'entendre. Apparemment en pleine forme et Paul se faisait une joie de le retrouver...

– Je peux tout à fait aller passer la soirée en ville, dit Luci en continuant de regarder fixement devant elle.

Et voilà. C'est ce qu'elle rumine depuis tout à l'heure. Il se doutait qu'il s'en sortirait pas à si bon compte.

– Déconne pas, Luci. J'ai aucune envie que tu t'en ailles.

– Ah ?

– Je suis perdu sans toi.

Elle se force à rire. Un rire qui sonne mal.

– Qu'est-ce que tu en sais ?

– J'ai vu ce que ça donnait avant de te rencontrer.

Il lui entoure la taille mais elle s'écarte. Sa main tombe dans le vide. Elle s'appuie au cadre de la porte, une lueur sombre dans les yeux.

– À combien de filles tu as dit ça avant moi ?

– Sois pas bête.

Elle ricane :

– Tu as oublié ? Oui, c'est ça, tu as oublié de les compter.

– Luci. Ça rime à rien. On va quand même pas se bagarrer pour des conneries pareilles !

Un brin de vent décoiffe le palmier qui borde le chemin. Quelque chose d'orageux dans l'air…

– Un jour, tu vas me quitter pour aller faire ton numéro avec une de ces blondasses de plage !

– Arrête. Tu crois même pas à ce que tu dis. Tu sais que je t'aime. Que je t'aime VRAIMENT. J'ai été idiot de me mettre en colère tout à l'heure. Je m'en veux.

Elle secoue la tête, un pli amer au coin des lèvres.

– Vous êtes tous pareils.

Le café est froid. Il pose la tasse entre ses jambes.

– Je t'en prie, Luci. Ne complique pas les choses.

Il se lève, descend les trois marches et tape du pied dans une touffe d'herbe. Dix jours de bonheur… Il y a forcément un fantôme derrière. Il n'a plus de boulot et son dernier billet de cent dollars est en miettes. Ed et Jim lui ont vaguement promis quelque chose dans les jours qui viennent mais rien de solide. Un rideau de déprime s'abat sur le décor. Il regarde la rangée de mobile-homes… le bleu-vert de l'océan au bout. Comme disait madame Wilkins : Si vous ne trouvez pas le bonheur à Marbella's Court vous le trouverez pas ailleurs.

SLAAAM ! La porte. Crazy Lou saute dans le

jardin en aboyant. Il entend le pas de Luci faire vibrer les murs. Son cœur se serre. Des gouttes de pluie lui mouillent le front. Son carré de tomates n'a plus rien d'héroïque. Une douzaine de tiges maigrelettes appuyées contre des tuteurs en plastique. On dirait un radeau à la dérive.

Quand il revient de la plage une demi-heure plus tard il trouve Luci prostrée devant une bouteille de gin, un verre plein à ras bord à côté. Elle lève sur lui des yeux rougis par les larmes.

– Crazy Lou est partie.

– Quoi, partie ? Elle est sûrement en train de courser le chat du voisin.

– Je l'ai appelée. Je suis même allée jusqu'à la route.

Il jette un coup d'œil par la fenêtre. Il ne se décide pas à pleuvoir pour de bon et le ciel est d'un gris chargé.

– Elle va rentrer. T'en fais pas.

– C'est parce qu'on s'est disputés. On a dû lui faire peur.

Le regard de Paul tombe sur l'écuelle vide au pied du frigo. Il soupire. Prend un verre à moutarde dans le placard et se verse une dose d'alcool.

– Écoute, on va pas paniquer. Si dans une heure elle est pas là on prend la voiture et on ratisse le secteur.

L'affliction a le don de rapprocher les cœurs écorchés et la place que Crazy Lou a prise dans leur vie se manifeste à présent par un vide douloureux. Paul et Luci passent le parc au peigne fin. Interrogent les voisins. Appellent. Sifflent. Des chiens se mettent à aboyer au loin mais pas de Crazy Lou.

Depuis que Paul avait pris cette cuite avec elle,

la fameuse nuit après « l'ascension » manquée de Bernie, il était persuadé que la chienne présentait une grande sensibilité aux choses du mystique. Une sorte de Bernadette Soubirous de l'espèce canine. Du coup un soir il avait fait l'expérience de lui lire des passages de Lao Tseu. Elle l'avait écouté avec une attention soutenue, quasi religieuse, levant l'oreille et penchant la tête aux passages difficiles. Il avait répété l'opération devant Luci, obtenant le même résultat. Par contre, trois lignes de Norman Mailer ou de Tennessee Williams et Crazy Lou commençait à se gratter nerveusement pour finir par demander la porte.

— Elle ne doit pas supporter de nous voir comme ça, dit Luci en baissant la vitre. Peut-être qu'elle a été traumatisée dans le passé.

Ils roulent depuis un bon moment, enfilant l'une après l'autre les rues parallèles et perpendiculaires à la plage, fouillant du regard le moindre buisson.

— Moi non plus, je supporte pas.

Elle a un sourire triomphant.

— Je sais être méchante quand je veux, hein ?

— C'était juste pour m'en faire baver ?

— Pour que tu apprécies ton bonheur quand je suis gentille. Et puis j'ai mon caractère, je t'avais prévenu. Quand j'ai envie de dire quelque chose je le dis.

Il allume une cigarette. L'horizon est noir de pluie mais l'orage a l'air de s'éloigner vers la mer. La route se termine en cul-de-sac au bord du marais. Paul se gare derrière une Impala déglinguée. Un vieux type est en train de pêcher, dans la vase jusqu'aux genoux.

— Reste ici. Je vais demander à ce bonhomme.

— Attends.

Luci lui tend la photo Polaroïd de Crazy Lou. C'est elle qui l'a prise un jour où ils se promenaient sur la plage.

– Tu crois que c'est bien nécessaire ?

Sur le cliché, la chienne est affublée d'une paire de lunettes de soleil et d'un chapeau de paille défoncé ramassé dans une poubelle. Luci est catégorique. Il prend le carré de papier glacé et, avant de sortir de voiture, décoche un sourire à Luci.

– J'ai envie de toi.

– Dépêche-toi. Dans deux heures, il fera nuit.

Pas d'appétit. Les yeux qui évitent de se poser sur l'écuelle de la disparue, sur le coin-dodo près du canapé. Leurs recherches n'ont rien donné. Paul et Luci passent la pire soirée de leur vie à deux. Une fois la bouteille de gin rétamée ils s'attaquent au magnum de tequila. Le cœur à rien. La pluie martèle le toit de tôle et ruisselle le long des vitres noires. Il a fait un aller et retour au mini-mart pour appeler le centre de secours pour animaux de Garden City mais les bureaux ne répondent pas. Ils se couchent tard. Ivres. Ils essayent de baiser mais doivent y renoncer à mi-parcours. Le cœur à rien. Le corps non plus. Un seul chien vous manque…

Paul se tire du lit à l'aube. Tout est rose dehors. Il se prépare un café qu'il boit en vitesse. Croque deux cachets pour l'estomac. Luci dort toujours. Il enfile un jean, un tee-shirt, ramasse une poignée de monnaie pour s'acheter des cigarettes.

Le centre de secours pour animaux est à dix minutes en voiture. Une bâtisse au crépi mauve et au toit goudronné. La porte est cadenassée, surmontée d'un panonceau de bois indiquant

ST. MARK'S ANIMAL SHELTER. Autour, c'est toujours les mêmes maisons de bois délavé entourées de la véranda avec moustiquaire. Le sable recouvre les rues.

Il fait les cent pas en attendant l'ouverture de l'abri. Quelques bagnoles passent. Il enregistre machinalement les plaques d'immatriculation, additionne les chiffres entre eux, cherche un signe favorable du destin. Trois pélicans disposés en triangle le survolent nonchalamment. Ça lui paraît être un heureux auspice. Il exécute ensuite plusieurs séries de pile ou face. Des séries de trois jetés. Il perd sa pièce dans la poussière mais le décompte final s'avère positif. La chance est de son côté. Crazy Lou est certainement derrière cette porte à l'attendre. Il piétine encore un bon moment à ressasser la scène de la veille avec Luci. Leur dispute lui a laissé un chiffon d'idées noires dans la tête. Il s'efforce de ne pas penser au tube de barbituriques dissimulé dans un tiroir et qui diminue régulièrement. Il ne lui en a jamais parlé. Elle n'est peut-être pas heureuse avec lui... Pas vraiment.

Qu'est-ce qu'il a à lui offrir de tellement reluisant ? S'il ne gagne pas assez de fric pour eux deux, elle devra repartir sur la route, de piano-bar en club ringard. Ça le rend malade d'y songer. Tous ces types pleins aux as qui reniflent son parfum et lui payent à boire en lui lançant des blagues douteuses. IL LES HAIT. Il les hait de toute sa force, à s'en déclencher des aigreurs d'estomac. Ils sont ligués contre lui. Ils sont après son bonheur. Rassemblés et organisés à travers l'Amérique pour détruire ce qu'il a eu tant de mal à obtenir. Prêts à fondre sur lui et le mettre en pièces. Les salauds !

Il serre les poings dans ses poches. Une voiture vient de se ranger devant la façade mauve. Une petite bonne femme en sort. Elle agite un trousseau de clés dans sa main.

Il la regarde approcher. LUCI... EST-CE QUE L'AMOUR N'EST PAS PLUS FORT QUE TOUT ? LES NEIGES ÉTERNELLES NE FONDENT PAS AU SOLEIL. LUCI ?

Ça lui a coûté dix dollars pour faire sortir Crazy Lou de sa cage. Les autres chiens se sont mis à aboyer comme des sourds, à bondir contre les grilles, réclamant leur liberté. La chienne a filé droit vers la sortie, tête basse et queue entre les jambes. Pas fière. Paul a empoché le reçu pour ses dix dollars et écouté le laïus de la bonne femme concernant les devoirs d'un maître responsable. Il promet de faire l'emplette d'un collier et d'une plaque d'identification. Là-dessus, elle enchaîne sur les bienfaits que Dieu accorde à ceux qui vivent selon sa loi. Puisqu'il habite à Garden City, il devrait se joindre à leur communauté. Les yeux brillants comme des humecteurs de timbres-poste la petite bonne femme lui tend une carte-réclame pour l'Église des Adventistes du septième jour. Il y réfléchira. Elle le raccompagne jusqu'à la voiture. Crazy Lou saute sur la banquette arrière. Des larmes ont séché au coin de ses yeux. Elle couine de joie maintenant.

C'est la fête au mobile-home. Tous les trois au lit comme un matin de Noël à défaire les paquets-cadeau. Crazy Lou danse sur le drap et leur léchouille la pomme. Une nuit au mitard comme papa. Elle apprend la vie elle aussi. Une vie de chien comme toutes les vies. Paul va dans la cuisine confectionner deux tequila-pamplemousse. La perspective de passer la journée couché à boire et à déconner le plonge dans le confort liquide du bonheur. La lumière bleue du dehors traverse les rideaux et tout est beau. Même la moquette tachée et le mobilier bancal. C'est vrai que la félicité ne tient qu'à un fil et que l'équilibre est précaire mais c'est peut-être le seul moyen d'en jouir pleinement, d'en tirer le jus profond. Demain ça pourrait être la fin du monde, la phase ultime, le bruit blanc sur toutes les ondes du cerveau.

C'est Luci qui aborde le sujet à propos de Bernie. Paul est allongé à côté d'elle le verre à la main en train de caresser Crazy Lou dans le sens du poil.

– Tu crois qu'on est tous fous ?

– Jusqu'à un certain point, oui. Ça dépend ce qu'on s'accorde le droit de vivre.

– Tu crois que je suis folle aussi.

Il se tourne vers elle, appuyé sur un coude.

– COMPLÈTEMENT.

Elle rit.

– J'aurais jamais dû dire ce que j'ai dit sur Bernie. Il aime les lasagnes ?

– Il a intérêt.

– Combien il nous reste d'argent ?

– Le minimum. Peut-être moins mais l'épicerie nous fait crédit jusqu'à la fin du mois.

Elle commence à énumérer les trucs à acheter et il note au crayon sur un paquet de cigarettes vide. « Sauce tomate, origan, ail frais, viande hachée… »

13

LES PASSAGERS DU DRAME

Ils sont arrivés avec la nuit. Le temps avait brusquement changé en fin d'après-midi. Les averses se succédaient par rafales, violentes, effrénées, que la terre n'avait pas le temps de boire, et le chemin de terre dégorgeait en bouillonnant.

Paul est sorti sur le perron en entendant un moteur crachoter sous la pluie. La bagnole n'a qu'un seul phare en état. Il pousse un cri strident en la voyant monter sur la pelouse et piquer droit sur le carré de tomates. Se rue à travers le jardin pour se jeter devant la rangée de tuteurs en plastique tel un vivant rempart. Le pare-chocs vient juste lui flairer les rotules et s'immobilise. C'est la fille qui est au volant. Paul aperçoit son visage ainsi que celui de Bernie derrière la vitre brouillée. Elle descend dans un envol de foulards bariolés et se pend à son cou sans préambules.

— Je suis TELLEMENT contente de te rencontrer !

Paul la serre modérément dans ses bras, un peu embarrassé. Luci les observe depuis le seuil du mobile-home. Bernie les rejoint.

— Paul : Wendy. Wendy : Paul.

Wendy s'accroche à lui comme une ventouse.

– Il est merveilleux ! Je l'aime déjà.

Paul la repousse gentiment et c'est au tour de Bernie de tomber sur sa poitrine. La pluie dégouline sur leurs fronts. Ils s'embrassent.

– Putain, vieux...

– Ouais, ça fait plaisir.

– C'est vraiment paumé par ici. On a tourné une demi-heure avant de trouver.

Wendy rayonne littéralement comme si elle avait attendu ce moment toute sa vie. Elle leur prend une main à chacun qu'elle plaque sur ses seins. Paul sent glisser sous ses doigts le portrait du Maître Baba et rencontre à travers l'étoffe de la tunique le bout du mamelon.

– GÉNIAL ! C'est génial d'être là. Je voudrais que ça dure toujours. Cette pluie est merveilleuse ! (Elle regarde vers Luci :) Oh ! Luci ! Je parie que c'est elle ! SALUT LUCI ! MOI, C'EST WENDY ! GÉNIAL !

Paul retire vivement sa main. L'eau ruisselle entre ses omoplates. Il entraîne Bernie vers la maison tandis que Wendy s'élance dans les bras de Luci.

– Qu'est-ce que c'est que cette hystérique ?

– Un puits d'amour, Paul, répond Bernie avec un large sourire. Elle est pas lumineuse ?

En tout cas, la soirée va pas être du gâteau, il le sent tout de suite. Luci toise Wendy d'un regard de fusil à deux coups. Paul ouvre une bouteille de vin blanc et fait passer les verres. Bernie s'enfonce dans le canapé en humant le fumet qui arrive de la cuisine.

– Eh ! Ça sent drôlement bon !

Wendy s'assoit en tailleur par terre. Non, pas d'alcool pour elle. Paul lui propose du Coca. Elle fait la grimace. Du jus de mangue ? Il n'a pas ça. Peut-être du concentré d'orange ? Oui, ça lui plaît mais à condition qu'il n'y ait pas d'additifs chimiques dedans. Paul ouvre le frigo et déchiffre l'étiquette à haute voix en omettant de mentionner les colorants et agents conservateurs. Pendant ce temps-là Wendy explique à Luci que le corps est une source et que si on l'empoisonne avec des saloperies synthétiques on contribue généreusement à la pollution de tout l'environnement. Luci adopte un air blasé et ennuyé.

– GÉNIAL ! s'écrie le Puits d'Amour après avoir trempé les lèvres dans le jus. J'étais à Goa il y a à peine un mois. Vous connaissez Goa ? C'est SUPER ! C'est vraiment un endroit de purification. J'ai pris des champignons et j'ai vu mon corps astral. On était une douzaine à triper. Des vibrations dingues ! On a fait l'amour comme des enfants !

Elle éclate de rire et se balance de droite à gauche en secouant la tête.

– Tous ensemble ? demande Luci.

– Bien sûr. L'amour est fait pour être partagé. Plus tu partages et plus l'amour se déverse en toi. Ce que tu reçois est à la mesure de ce que tu offres. Je trouve ça débile de se garder pour une seule personne. Dieu a une capacité d'aimer infinie !

Luci a une moue sceptique. Bernie rattrape la conversation engagée dans une impasse en racontant la dernière galère de Dave-destroy. Petite-mort est venu prendre pension au centre Baba. Il s'est pointé un matin fringué comme un clodo, la gueule noircie, sanglotant comme un perdu. Son appartement venait de brûler. Il avait laissé une bougie allumée et s'était endormi, complètement défoncé. Résultat la fumée le réveille. Tout crame. Il file in extremis par l'escalier d'incendie...

– Tu comprends, fait Bernie. Pour lui c'était le signe qu'il attendait. Dave est un mystique déchiré. Tout ce qu'il avait réussi à sauver du feu, c'était un portrait de Baba que je lui avais donné l'année dernière. Il s'est dit que ça y était, Baba lui commandait de franchir le pas, d'abandonner le monde matériel pour le spirituel. Ils l'ont pris aux cuisines. Il a arrêté de picoler et il a l'air heureux comme tout.

– C'est SUBLIME ! s'exclame Wendy. Et toi, comment tu as rencontré Baba ? demande-t-elle à Paul.

– Tu sais, je suis plutôt en free-lance. Tous les gurus se valent.

Crazy Lou vient se frotter dans les jambes de Bernie en remuant la queue. Luci se reverse à boire puis la sonnerie du four retentit et elle dit :

– À table !

Dehors la tempête fait rage. Ça dégringole dru et les bourrasques ébranlent le bungalow si bien qu'on a l'impression de se trouver dans un camion en marche. Le vin danse dans les verres. Les lasagnes sont délicieuses. Ils parlent un peu de tout. Luci doit commencer dans quelques jours à l'Howard Johnson et parle de son trac, de son répertoire à tenir à jour.

– Ce doit être atroce d'avoir à supporter un tas de types soûls qui réclament des chansons stupides !

La réflexion de Wendy pique Luci au vif.

– Chacun ses phobies. Moi, les partouzes sous

prétexte d'élargissement de la conscience, je trouve ça franchement pornographique !

Le Puits d'Amour ne se démonte pas et réplique :

– La vraie libération consiste à vivre ses désirs et pas à les refouler. Crois-moi on se sent beaucoup mieux.

Bernie se penche vers elle.

– Tu ne manges pas ?

– Tu sais bien que je suis végétarienne.

Luci pouffe de rire. Mal à l'aise, Paul propose à Wendy un reste de gratin de macaronis de la veille. Elle fait non de la tête et s'attaque à son bol de salade en rougissant un peu. Bernie demande un verre d'eau. Il avale quatre ou cinq comprimés. Des bleus et des blancs et sourit comme pour s'excuser.

– Il me faut toute cette chimie pour être un Américain moyen et ne pas polluer mon environnement. (Il ricane.) Où est la logique dans tout ça, hein ?

– Si on est végétarien, alors il ne faudrait pas boire de lait ou manger de fromage, dit Luci.

Wendy prend le parti de ne pas répondre. Elle est vexée. Elle croque sa salade à petits coups de dents nerveux en regardant le fond du bol. Il se fait un silence pendant lequel on entend le vent cogner à la porte et la pluie sautiller sur le toit. Paul lorgne vers Bernie qui lui adresse un clin d'œil complice.

– Ils m'auront pas. Ils croient me posséder mais ils ne m'inscriront jamais sur leur programme. Je vais entrer en résistance. La clandestinité. J'en ai marre de porter le chapeau pour eux. Je me désolidarise.

Luci hausse les épaules.

— Il n'y a pas de dessert, fait-elle en se levant. Quelqu'un veut du café ?

— Ce pays mène au silence, Paul. Personne ne sauve plus personne. Tous murés dans le confort stupide...

Wendy émerge :

— Je prendrais bien une tisane de fleurs d'oranger si tu as.

Luci claque une porte de placard, visiblement excédée.

— J'ai que du café. Lyophilisé.

— Tu peux rien y changer tout seul, Bernie. Tu le sais bien.

— Merde ! Mais c'est évident que si tout le monde se dit ça on est en route pour l'extinction de la race, Paul. Aujourd'hui il faut choisir entre le suicide ou l'adoration.

— Vous êtes déprimants ! lance Wendy. Moi, j'ai envie de faire l'amour.

Bernie ne relève pas. Il continue :

— Chaque type qui part au boulot le matin porte sur ses épaules une charge nucléaire suffisante pour détruire sa ville natale. Voilà le citoyen exemplaire. Il paye ses impôts et ses gosses se déguisent en Flash Gordon ou Superman. Comment est-ce qu'on peut se mentir à ce point ? Moi, ça me dépasse !

Paul regarde la fumée de sa cigarette s'étirer au-dessus de lui. Il n'a pas de solution. On souffre dàns sa chair et on ferme sa gueule.

Luci apporte les tasses et verse le café.

— Vous pouvez rester dormir ici. Avec le temps qu'il fait...

— GÉNIAL ! s'exclame Wendy. Finalement, je boirais bien un petit quelque chose.

Paul et Bernie en sont déjà à leur troisième tequila et forcément le débat s'élargit. Les thèmes défilent. Ils dressent un bilan de deux mille ans de civilisation comme d'autres racontent leurs dernières vacances. Luci revient s'asseoir. Wendy siffle son verre et se penche vers elle pour tenter de faire la paix. Elle lui coule des yeux de velours en se frottant contre son épaule.

Paul laisse son café refroidir. Dehors le vent hurle. Crazy Lou gratte à la porte pour sortir pisser. Est-ce que la tempête a emporté ses plants de tomates ? Sa tête tourne. Il se lève. Il titube et Wendy éclate de rire. Bernie s'exalte. Il raconte la mort de Geronimo pour illustrer la solitude moderne engendrée par l'ère industrielle. Le grand chef mort noyé dans une flaque d'eau en tombant de voiture comme n'importe quel pochard de faubourg. Il ouvre la porte. La pluie le frappe au visage. La chienne s'élance dans le jardin. Il la suit. D'énormes bouffées noires l'enveloppent. Pas d'étoiles. Il renverse la tête en arrière, bouche ouverte. Les gouttes d'eau s'écrasent sur ses lèvres, dans sa gorge. Il entend derrière lui les voix de Bernie et Luci semblant venir de très loin. Il y a un tuteur d'arraché. Il le replante dans la terre détrempée. Les tiges se cramponnent désespérément au sol. Les racines ont la rage d'exister. Il les imagine en train de griffer l'obscurité souterraine et lutter pour leur raison d'être. Les feuilles pourtant d'apparence si fragile claquent au vent en tenant bon. Il se retourne et, par la fenêtre, aperçoit Wendy qui enlève sa tunique et la jette au-dessus d'elle en hurlant :

— J'AI BESOIN D'AMOUR ! JE VEUX QU'ON M'AIME !

Il rentre en vitesse. La fille est maintenant

debout sur sa chaise et exécute une danse de poitrine en roucoulant comme une dinde. Son regard est vitreux. Un filet de bave coule sur son menton. Bernie applaudit à tout rompre et Luci écarquille les yeux. Wendy est un peu grassouillette mais le spectacle ne manque pas d'intérêt.

— DE LA MUSIQUE! DE LA MUSIQUE! s'écrie Bernie.

Paul tourne machinalement le bouton de la stéréo. Il voit Luci avaler un verre d'alcool plein à ras bord et grimacer comme si elle refoulait une nausée. Les haut-parleurs saturent. Une bouillie rock se déverse dans la pièce. Bernie attrape Wendy par la ceinture, fait sauter le bouton d'attache et tire son pantalon bouffant vers le bas. Elle ne porte pas de slip. Après ça il lui tend un verre qu'elle prend sans cesser de se dandiner. La moitié se renverse et dégouline entre ses seins. Elle boit le reste cul sec. Elle chavire. Bernie la retient en agrippant une fesse. La blague tourne au bancal. Wendy ne contrôle plus rien. Elle a fermé les yeux, aspirée par une sorte de tourbillon intérieur.

— JE VEUX QU'ON M'AIME! hurle-t-elle encore en envoyant balader son pantalon. JE VEUX QU'ON ME BAISE!

La chaise craque. Paul se précipite.

— BERNIE, MERDE! ARRÊTE-LA!

Avant qu'il ait fini sa phrase, CRAAAC! Wendy s'écroule sur lui. Elle lui encercle le cou. Ils roulent au sol. Il heurte le coin du bar et gémit. La fille est comme un tas de viande morte l'écrasant. Il la repousse d'une détente des reins et se dégage péniblement. Bernie l'aide à relever la fille et ils l'étendent sur le canapé.

— Elle boit jamais, explique-t-il.

— Je vais vous montrer votre chambre.

— T'es fâché ?

— Bien sûr que non.

Luci commence à débarrasser la table sans un mot. Elle empile bruyamment les assiettes sur l'évier. Paul prend sa respiration. Il déglutit des caillots de malaise. Wendy remue les jambes et bafouille des trucs incompréhensibles.

— Tu m'aides à la porter ? demande Bernie.

Luci le secoue comme un prunier. Il ouvre les yeux et remonte la pente du sommeil en catastrophe.

— Qu'est-ce qui se passe ? Tu dors pas ?

Une lueur de petit jour inonde la chambre. Le drap a glissé. Il le tire sur lui.

— Comment veux-tu dormir avec ce tapage !

Il tend l'oreille. Effectivement, un tremblement désordonné agite le bungalow. Il croit d'abord à un roulement de tonnerre — l'orage secouait le paysage quand il s'était endormi — mais en distinguant les râles de Wendy il sait qu'il s'agit d'autre chose. Un brouillard de sourire lui effleure les lèvres. Luci s'assoit dans le lit.

— Ça t'amuse ? Pas moi. Ça fait deux heures que je les entends faire leur cirque. JE VEUX QU'ILS S'EN AILLENT ET TOUT DE SUITE !

— Luci, y a rien de mal à baiser ! On peut pas empêcher la nature...

— JE NE VEUX PLUS DE CES FOUS CHEZ MOI ! DÉBROUILLE-TOI COMME TU VEUX ! S'ILS PARTENT PAS C'EST MOI QUI M'EN VAIS !

— Bordel, mais qu'est-ce qui te prend ?

— Ça t'a pas suffi la séance d'hier ?

– On avait tous trop bu.

– Je ne suis pas stupide, Paul. Cette petite salope te faisait du rentre-dedans et tu marchais à fond !

– Tu délires. Là, tu délires carrément.

Elle saute du lit et attrape le peignoir qu'elle enfile furieusement.

– Très bien alors je m'en charge ! C'est pas un asile ici ! Je leur donne cinq minutes !

– Déconne pas. Recouche-toi. LUCI !

Il bondit et la rattrape à la porte.

– JE DÉLIRE, HEIN ? C'EST MOI QUI DÉLIRE ! PAUL SI TU M'AIMES…

À ce moment Wendy pousse un cri perçant depuis l'autre chambre. Un BAM BAM BAM sonore ébranle le mobile-home. Sûrement le cadre du lit qui heurte le mur.

– Okay, Luci. Calme-toi, je vais parler à Bernie, dit-il d'une voix cassée. Attends-moi.

Il passe un caleçon. Luci s'assoit sur le bord du lit, respiration sifflante. Une vraie boule de nerfs. Il traverse la cuisine au pas de course.

Le Puits d'Amour est à quatre pattes sur la moquette, cramponnée aux pieds du lit, ravagée de plaisir. Bernie est à genoux derrière elle l'outil à la main.

Paul toussote. Wendy tourne la tête, une expression lubrique dans les yeux. Il n'y a pas de morale. La libération vient par où elle peut.

14

L'OURAGAN

Après le crash, on cherche la boîte noire parmi les décombres de l'appareil afin d'expliquer les circonstances du drame. Pourquoi est-ce que les gens ne sont pas faits comme les avions ? On saurait au moins pourquoi ils se cassent la gueule et en deux ou trois générations on aurait remédié au problème. Si seulement le ciel n'était pas rempli de ces trous noirs sans mémoire...

Bernie et Wendy sont partis sans vraiment comprendre ce qui leur arrivait. Paul est allé avec eux jusqu'à l'épicerie et il est revenu à pied avec une bouteille de gin et du tonic. Chemin faisant il sent au creux du ventre un abîme se creuser. Une tristesse immense l'envahit. Le ciel gris rejoint l'horizon indéfini du Grand Glauque. Des nuées balèzes se pressent au-dessus de sa tête avec des tonnes de flotte prêtes à dégringoler. Le marais déborde sur la route. Des crapauds écrasés jonchent la chaussée par petits paquets sanguinolents.

Ils ne se disent pas un mot jusqu'à midi. Luci

fait la vaisselle et range tout le fourbi. Il rebouche les profondes ornières qu'a creusées la bagnole de Wendy à la lisière de son carré cultivé. Impossible de chasser le blues qui le serre à la gorge. Quand il commence à pleuvoir, il rentre, prend un bouquin et s'allonge sur le lit. Lit quelques bouts de phrases sans en comprendre le sens. Fume cigarette sur cigarette. Luci reste dans la cuisine. Il l'entend décapsuler la bouteille de gin et sortir les glaçons du frigo. Il entend la chaise racler le sol. Et puis il entend le silence.

Il l'appelle plusieurs fois mais elle ne répond pas. Le silence devient aussi épais et résistant qu'un mur de briques. Il se tourne et se retourne sur le drap froissé, la tête dans les mains. Ni l'un ni l'autre ne sont assez forts pour céder. Chacun dans sa cellule étanche, face au silence. Bernie est un enfant abandonné par deux cent cinquante millions d'adultes. Il aurait voulu lui dire de venir habiter avec eux une semaine ou deux, le rassurer, l'écouter. Bernie a besoin de lui. Paul est peut-être sa dernière chance d'établir un contact avec le monde et il le laisse tomber. Il le vire comme un malpropre parce qu'il baise comme un sourd une fêlée de l'amour. Il n'en peut plus. Se lève et passe dans la cuisine.

— Luci ?

— …

— Luci, à quoi on joue ? Parle-moi.

Elle soupire, remplit son verre de gin et boit sans lui accorder un regard.

La pluie redouble, martelant le carreau.

— Je sais plus où j'en suis, dit-il à mi-voix. Je te demande juste de me dire quelque chose…

— Je suis fatiguée, Paul. J'ai pas dormi. J'ai mal au cœur.

Il fait le tour de la table et se plante devant elle.

– Il y a autre chose. Tu m'en veux toujours à cause de la soirée d'hier ?

Elle baisse les yeux sur son verre et le tourne entre ses doigts.

– On y arrivera jamais, lâche-t-elle d'un ton accablé.

– De quoi parles-tu ?

– De nous. On est trop loin l'un de l'autre.

Paul se fige. Les mots résonnent dans son crâne et se perdent dans un dédale obscur et glacé.

– Dis pas ça. Dis pas une chose pareille, Luci. Merde, on n'est pas heureux ensemble ?

Elle secoue les épaules, va pour dire quelque chose mais se tait.

– Qu'est-ce qu'il y a ? Qu'est-ce que j'ai fait ? Qu'est-ce que j'ai dit ?

– J'ai besoin d'un homme, Paul. Tu te conduis comme un gosse. Tu es comme Bernie. Tu penses que tu peux refaire le monde avec quelques rêves et un peu de chance.

– Mais... Luci, tu es tout pour moi. Je vais changer. Tu sais bien que je vais changer. Laisse-moi le temps.

– Personne n'est jamais tout pour quelqu'un. Il y a une chose essentielle que je suis incapable de te donner et que tu dois trouver tout seul.

– Et c'est quoi ?

– Le sens de ta vie.

Il rigole jaune.

– Ah ouais ! Rien que ça. LE SENS DE MA VIE ! Mais, Luci, aucune vie n'a aucun sens. C'est l'émotion qu'on met dedans qui en fait quelque chose. Tout le reste, c'est bidon !

Elle vide son verre et le repose brutalement

sur la table. Il la regarde le remplir à nouveau,
les poings crispés à s'en faire mal.

— Et ça a un sens ce que tu fais là ? Tu te
bousilles à picoler et avaler tes saloperies de Gar-
dénal ! C'est le mélange de la ruine. La vitamine
du néant ! Explique-moi un peu puisque tu es au
courant des grandes valeurs de ce monde !

— Tu veux rester un serveur toute ta vie, Paul ?
Est-ce que tu t'es déjà posé la question ? Un
serveur à deux cents dollars la semaine ?

— RÉPONDS-MOI !

— Ne crie pas !

— RÉPONDS-MOI !

— J'ai peur. Le temps passe. J'ai peur de plus
savoir aimer... de plus y arriver. Je me sens de
plus en plus seule.

Il la prend par le bras et la secoue. Le verre
se renverse. Il roule à terre sans se casser.

— Mais, Luci, je suis là ! Donne-moi un peu de
temps. Je te promets qu'on va être les rois du
bonheur ! Ne fous pas tout ça en l'air ! T'as pas
le droit de nous faire ça !

Elle se dégage d'un mouvement brusque. Paul
tombe à genoux. Le gin goutte au bord de la table.

DES ANNÉES-LUMIÈRE... DES DISTANCES SIDÉRA-
LES... À quoi se raccrocher ? La colère et l'impuis-
sance le font bouillir. Luci ramasse le verre. Il
se redresse d'une détente, empoigne la bouteille
par le col et va jusqu'à l'évier.

— PAUL !

Le fracas du verre brisé couvre son cri. Paul
se retourne. L'odeur d'alcool lui monte au nez.
Il regarde le goulot coincé dans son poing comme
si sa main appartenait à quelqu'un d'autre.

— Tu es fou ! COMPLÈTEMENT FOU ! ET TU CROIS

190

QUE JE VAIS ACCEPTER ÇA ? ! TU ES PITOYABLE, PAUL !

Il laisse choir le tesson dans la mare de gin à ses pieds. Comment est-ce que tout ça a pu arriver ? La lumière a changé. La pluie s'est arrêtée.

— Luci... Attends...

Elle repousse sa chaise, ouvre le placard comme si elle voulait en arracher la porte et attrape la bouteille de tequila aux trois quarts vide.

— JE VEUX QUE TU M'ÉCOUTES, BORDEL ! hurlet-il.

— Tu n'as rien à me dire. Tu viens de le prouver. Et moi non plus je n'ai rien à te dire !

Il lui arrache la bouteille des mains et, CRAAASH ! celle-là aussi il la fracasse contre l'évier. La pluie de verre gicle à travers la cuisine. Luci est pétrifiée. Il s'attend à ce qu'elle se précipite sur lui pour lui planter ses griffes dans les yeux mais au lieu de ça elle court vers la porte qu'elle envoie voler d'un coup de pied. Il s'élance derrière elle.

Il saute un buisson, atterrit dans une flaque de boue, dérape et se reçoit sur le dos.

— LUCI ! REVIENS !

Il cavale sur le chemin. Elle est à une trentaine de mètres devant lui, presque arrivée à la route.

— LAISSE-MOI ! SI TU ESSAYES DE ME SUIVRE JE TE JURE QUE JE VAIS DROIT À LA POLICE !

Un couple de retraités observe la scène depuis la fenêtre d'un bungalow vert et rose. Le sourcil levé. L'œil éteint.

— LUCI, DÉCONNE PAS ! REVIENS !

Elle s'éloigne. Il la voit s'éloigner. Elle disparaît au coin. Il a froid. Ses vêtements sont trempés. DES ANNÉES-LUMIÈRE... DES DISTANCES SIDÉRALES...

Quand il rentre, il trouve Crazy Lou en train de laper le gin. Elle évite soigneusement les éclats de verre et semble apprécier ce cadeau providentiel. Paul s'effondre dans le canapé. Lessivé. Vidé. Allume une cigarette. Il manque une pièce dans le puzzle. Au beau milieu du ciel. Il y a un trou au centre par où tout s'en va. Ça explique la fuite du temps, la dérive des continents et l'inévitable déchirement de l'amour. Comment se démerdent les gens ? Peut-être qu'ils vivent terrés dans les coins du puzzle. Sans regarder plus haut. Peut-être qu'il n'y a pas de ciel dans leur vie et qu'ils se laissent simplement grignoter par le vide autour. Lentement, très lentement. Sans s'en apercevoir.

Il change de chemise. Revient s'asseoir. Crazy Lou tangue et flageole sur ses pattes. S'écroule sous la table de cuisine. Naze. Il se relève. Va à la fenêtre guetter le coin de l'allée. Personne. Il se raisonne. Pas possible que Luci s'en aille. Toutes ses affaires sont là. Elle joue dans trois jours à l'Howard Johnson. Elle a dû aller marcher sur la plage.

BONHEUR À MARBELLA'S COURT s'évanouit dans le ciel comme une banderole publicitaire tirée par un avion. Il fait les cent pas. Crazy Lou le suit des yeux, le vertige dans la prunelle. Il sort sur le perron et embrasse le paysage d'un coup d'œil. Les gros cumulo qui dérivent en gonflant le ventre. La bande gris-vert de l'océan. Les deux palmiers décoiffés au bord du chemin. Quand il était môme il pouvait contempler la nature et écrire des poèmes sur n'importe quoi. Aujourd'hui il est pas capable d'avoir deux idées qui se suivent. Dans quelques années il aura trente ans et à ce train d'enfer que lui mène l'existence il sera un vieillard. Le réservoir à illusions à sec. Le cœur à sac. Plus de suc dans les glandes. Où on va ? L'univers s'étire en bâillant. Il faut mourir avant trente ans ou alors on devient vestige de l'échec, ruine du doute. Luci...

Elle déboule dans l'allée. Un paquet de colère en marche. Elle avance tête baissée portant un carton sous le bras. Il reconnaît l'emballage d'une bouteille de gin et pousse un juron. La guerre est donc déclarée. Il rentre. La porte se referme en grinçant. Des gouttes de pluie tapotent sur le toit.

— Tu me fais mal à boire comme ça, Luci. Arrête de t'abîmer. Ça avance à quoi ?

Elle l'écoute pas. Il pourrait aussi bien parler au mur.

— C'est idiot de se gâcher la vie, tu trouves pas ? Si on s'asseyait pour discuter ?

Elle remplit un verre. Pur et sans glace. Elle boit en le dévisageant. Ses yeux sont rouges et du maquillage a coulé sur ses joues.

— C'est toi qui as quelque chose à me prouver, Paul. Pas moi. Et je fais ce que je veux de ma personne. Si j'ai envie de me soûler et de rouler par terre c'est mon problème. Personne m'a jamais donné de leçons.

— Tu ne m'aimes plus, c'est ça ?

— J'étouffe ici.

— Tu veux que je parte ?

— Je ne sais pas ce que je veux.

Il approche. Elle recule. Il voit ses doigts blanchir autour du verre.

— Laisse-moi, Paul. Je t'en prie. Je suis tellement fatiguée.

Il avance la main. Elle se plaque contre le meuble. Une lueur dangereuse danse dans ses yeux.

– Luci...

– Je sais que tu as proposé à Bernie de venir vivre ici. Comment est-ce que tu peux me demander si je t'aime après ça ? Mon Dieu mais tu es encore plus irresponsable que je croyais !

– C'était juste un truc en l'air. Je lui en ai jamais reparlé.

– MAIS TU Y AS PENSÉ, PAUL ! TU COMPRENDS DONC PAS QUE C'EST LA MÊME CHOSE !

Il baisse les bras, découragé. Luci vide son drink en tremblant. Ils sont là comme deux épouvantails dans un champ de fiasco, à griffer le silence, à attendre que le vent les emporte morceau par morceau.

Il lui tourne le dos, sort une cigarette et l'allume.

– Tu n'as pas vraiment besoin de moi, fait-elle d'une voix rauque. Tu crois ça parce que tu ne sais pas ce que tu cherches. Je ne suis qu'une idée à laquelle tu t'accroches.

Il l'entend poser le verre sur la table et dévisser le bouchon de la bouteille.

– Tu devrais pas dire une chose pareille, Luci. C'est pas vrai.

– C'est pathétique, mais c'est la vérité.

Il lui fait face à nouveau, essayant de contenir la violence de détresse qui rampe dans son système.

– Écoute, je vais aller faire un tour. Le temps que tu réfléchisses. Ça sert à rien de s'énerver. On raconte des conneries.

Elle chavire sur ses jambes et se rattrape au bord de la table. Le gin est partout dans son sang.

– Je te demande seulement d'arrêter de boire pour aujourd'hui...

Elle éclate d'un rire nerveux, des larmes dans les yeux. Paul retient son souffle. Elle continue de rigoler. De plus en plus fort. Une boule de neige roulant dans la pente. L'avalanche. Un déluge de rire. Paul ne voit pas partir sa main. Il lève la bouteille au-dessus de sa tête et l'écrase de toutes ses forces contre le placard.

Luci rit toujours quand il franchit la porte. Il court s'abriter sous le pin tordu au coin du jardin. Les gouttes de pluie sont énormes. Elles creusent de petits cratères dans la terre. Paul écoute les battements fous de son cœur. Des coups de tonnerre résonnent au loin. Ça y est, maintenant il est vraiment nulle part. Pour de bon.

Un bruit de tôle malmenée le fait se retourner. La porte percute le mur du mobile-home, comme soufflée de l'intérieur. Luci se tient sur le seuil. Elle bloque le battant avec le pied et lance le bras gauche loin devant elle. Il voit sa machine à écrire tracer un orbe dans l'espace. Il bondit pour tenter un blocage. Mais il a démarré un quart de seconde trop tard. La machine s'écrase, rebondit en dévidant son ruban encreur et s'immobilise après un ultime soubresaut. Luci rentre et claque la porte derrière elle. Il reste sous la flotte, sans bouger, bras ballants, fixant le boîtier crevé. Un long moment. Puis il marche calmement jusqu'au perron, grimpe les trois marches...

Il dépasse Luci sans la voir et file dans la chambre. Il ouvre l'armoire, sort le carton à chaussures avec toutes ses notes, le cale sous le bras et retraverse la maison dans l'autre sens. Crazy Lou se traîne jusqu'à la nouvelle flaque de gin en tirant la langue.

Paul s'installe au volant et met le contact. Le

visage de Luci apparaît à la fenêtre. Il passe la marche arrière. La voiture chasse du cul. La pluie redouble. À côté de lui, sur le siège, la machine à écrire, enveloppée dans une vieille couverture. Tandis qu'il s'éloigne il aperçoit dans le rétroviseur les plants de tomates qui plient et se tordent sous les trombes d'eau.

Il conduit sans savoir où il va. La Route 544 longe le canal sur une trentaine de kilomètres avant de s'enfoncer à travers bois. Cigarette sur cigarette à ressasser cette putain de journée de folie. Le visage de Bernie et celui de Luci qui se superposent avec la nuit qui tombe et la pluie chassée par les balais des essuie-glaces. Les reflets gris dans les mares d'eau qui bordent la route. Il roule sans même regarder la vitesse au compteur. Au fond, qu'est-ce qu'il sait d'elle et de son passé ? Un jour elle lui dit qu'elle est née à New York, un autre jour à Montréal. Deux papiers chiffonnés qu'elle lui a montrés. Ses extraits de naissance. Américaine sur l'un, Canadienne sur l'autre. Elle a grandi là-dessus. Sur la légende du double. Son père aurait trempé dans des micmacs avec la Mafia et se serait mis à l'abri au Canada le temps de se faire oublier. Luci voit le jour là-bas. De retour aux States ils la glissent sur la liste des bébés nés à Long Island en falsifiant l'extrait de naissance d'une cousine de même nom. Après ça toutes les affabulations sont permises. La vie de Luci est un cocktail réalité-fiction dans lequel il nage la brasse coulée. Combien de fois il l'a surprise à raconter plusieurs versions de la même histoire, à se mélanger les pédales, à ne plus se rappeler quelle sauce elle lui avait servie.

Et tout ce qu'elle ne lui dit pas. Sûrement un tas de choses. Est-ce que ce bungalow-jardinet ne ressemble pas de près à l'idée qu'elle se fait du degré zéro de l'existence ? Coincée entre les marais et la mer. Elle étouffe. C'est ses propres paroles. Elle est comme lui, habituée à changer de décor sans arrêt. Pourquoi est-ce qu'il n'a pas compris ça plus tôt ? Elle a essayé de jouer le jeu et puis l'illusion s'est fissurée. Il aurait dû le voir venir. Okay, ils vont repartir sur de nouvelles bases. Ils vont s'expliquer. Lui, il va changer. Il va être meilleur. Tout ce qu'elle veut. Oui, ils sont pareils. Tous les deux de la génération malade. Ils ont la même mélancolie de fin du monde.

Il fait ce qu'il a à faire. Il enterre le passé et il revient purifié, lavé. Ils s'aiment. Ils peuvent pas laisser passer ça.

La pluie cesse. Il coupe les essuie-glaces. La nuit s'abat sur les arbres. Un soir de la semaine dernière…

Ils revenaient de Crescent où ils avaient fait une java. Remontés à bloc. Joyeux et insouciants. Paul lui explique en long et en large ses errances au fil de la plume et au fil des routes. Ses écroulements héroïques. Elle lui raconte encore une fois son unique show télévisé, parrainé par Bob Hope. Elle avait enregistré un disque. Son agent croyait en elle mais n'avait pas les relations qu'il fallait. Le disque fait un flap et Luci se retrouve sans un, obligée de danser topless dans un cabaret de Times Square. Six mois à ce rythme et n'importe quelle fille devient ou bien une pute ou bien une glacière. Elle, c'est la dépression nerveuse. Son agent la relance pour lui proposer une tournée dans des piano-bars du New Jersey. C'est loin d'être reluisant mais elle accepte et depuis... Et lui, qu'est-ce qu'il est venu chercher dans ce pays ? Toi, Luci. Pas l'ombre d'un doute. Elle lui dit de s'arrêter dans un chemin. Il choisit le plus obscur et ils font l'amour dans la voiture. Elle a passé les jambes par la portière. Il la baise comme un camionneur sous le grand ciel noir sans étoiles. Ils jouissent en même temps et leur cri s'envole plus haut que les arbres...

Paul ralentit. Il roule depuis plus d'une heure. À gauche, une station Texaco. À droite, une route qui part dans les champs de tabac. Il met son clignotant et fonce vers l'inconnu. Luci a peut-être fini par s'endormir. Il se peut qu'elle soit en train d'appeler New York... Richie, Sally ou Cindy... Sa voix déraille sur les câbles aériens qui bourdonnent dans le sous-sol de l'Amérique. Elle réveille quelqu'un dans Manhattan...

Il allume la radio et écoute un moment les bavardages d'un prêcheur insomniaque qui démontre des théorèmes absurdes. Jésus est votre copilote. Pour une somme dérisoire vous pouvez recevoir chez vous le manuel de navigation. Jésus opère des miracles financiers. Faites-lui confiance et tous vos problèmes seront résolus. Paul change pour une station rock et monte le volume. Pas une bagnole en vue. Ni devant ni derrière. Il discerne les silhouettes bossues des séchoirs à tabac dressées au milieu des plantations et respire l'odeur épaisse, enivrante du virginie frais récolté. Il pourrait conduire comme ça toute la nuit. Suivre le faisceau des phares qui s'enfonce dans le noir jusqu'à oublier d'où il est venu. Jusqu'à ce que ça n'ait plus la moindre poussière d'importance. Le jour se lèverait et il serait toujours vissé au volant. Un seul corps avec la route. Il croiserait des camions de ramassage d'ordures et des peintres blacks dans des fourgonnettes blanches qui s'en vont repeindre l'Amérique. Des postes à essence rutilants. Des fast-foods ouverts vingt-quatre heures sur vingt-quatre. Des golfs. Des parcelles de désert entourées de panneaux publicitaires. Des cimetières indiens. Des usines de pâte à papier. Jusqu'à oublier d'où il est venu. On ne rattrape jamais la route. Elle roule éternellement devant. La cendre de cigarette qui tombe sur le siège. Jusqu'à oublier. Les guitares qui hurlent dans le haut-parleur de l'autoradio. Les moucherons qui s'écrasent sur le pare-brise. La route vous reprend aussi sec. Comme une drogue dont on décroche jamais vraiment. On sait qu'il y a toujours un autre part, une chance de changer les cartes et de se refaire, peut-être même de décrocher le jeu de rêve et de blouser tous les spectres du passé. LUCI... LUCI, TU M'ENTENDS ? POURQUOI J'AI BESOIN DE TOI AUSSI FORT ?

Pas de lune. Une vraie nuit noire. C'est quand il voit l'aiguille de la jauge à essence descendre dans la zone rouge que Paul arrête de gamberger. Il relâche l'accélérateur et mord sur le bas-côté. Un chemin de terre qu'il enfile sur une centaine de mètres avant de couper le contact. Une cabane de bois sans fenêtre dort dans la broussaille. Il descend de voiture et reste un long moment à écouter le silence entrecoupé de stridulations d'insectes. À ce moment-là, sa solitude couvre quelques dizaines d'hectares. Une sacrée perspective pour la détresse d'un seul mec. Les effluves de tabac lui piquent la gorge. Il se tient en bordure d'un champ relevé par un talus de caillasse. Il en a peut-être pour quelques siècles à se sortir de son enfer et errer entre chien et loup avec son dégoût. Jusqu'ici la pensée qui le maintenait à flot c'est que tout a une fin, que le provisoire est la demeure du temps. Si l'éternité existe vraiment, il est foutu.

Portrait de l'écrivain Béhant enterrant sa machine à écrire. Agenouillé et grattant la terre avec les mains. Seul au milieu du champ. Doigts écorchés. Le cœur à nu. Le ventre malade. Des pierres... des pierres... Pas de lune. Quand le trou est suffisamment profond il y dépose la machine enveloppée dans sa couverture. Puis court à la voiture chercher le carton à chaussures. Pas une larme versée pour la mise en terre de sa fameuse incapacité de dire. NEVERMORE. Les vers boufferont bientôt le papier, les nuits blanches. La machine se décomposera lentement pour tomber en particules microscopiques. Il rebouche le trou, piétine la terre humide et regagne le talus sans un regard en arrière. Et c'est exactement comme ça qu'il voulait sortir de l'histoire : un filet de sueur sur les tempes, les ongles noirs, perdu au milieu de nulle part. Rien devant. Rien derrière. Le vide parfait.

Il s'assoit derrière le volant. Claque la portière. Allume les phares.

Nuages... nuages...

Ce qui vaut la peine d'être dit reste muet. Un morceau de lui est enterré à jamais dans ce champ de tabac. Il a les yeux secs et le cœur blindé. S'il n'est pas foudroyé dans dix minutes par les forces du destin ce sera le signe qu'il est prêt pour quelque chose de neuf. C'est Luci qui lui disait qu'on ne se change pas ? Il aurait peut-être dû creuser plus profond...

Son regard se pose sur la cabane de planches à moitié recouverte de lianes grimpantes. Les phares éclairent une inscription peinte en lettres blanches. La peinture est salement écaillée, rongée par la végétation. Il déchiffre les deux premiers mots : ROCK CITY. Le reste du message est dissimulé sous l'enchevêtrement des lianes. Il redescend de voiture. Un gros mulot lui passe entre les jambes et disparaît dans la broussaille.

C'est un ancien séchoir à tabac. Toit de tôle rouillée et petit auvent de bois mangé aux vers. La porte est clouée et un soc de charrue est appuyé contre le battant. Il éprouve tout à coup un drôle de sentiment comme si une voix essayait de lui parler à travers ce coin paumé.

Il arrache les grimpantes par paquets. Les ronces le griffent. Il crache des brindilles. S'acharne à mettre à jour le flanc de la baraque. Des toiles d'araignées dans la figure. Des bestioles qui lui courent sous la chemise. Son ombre allongée et projetée devant lui. Enfin la suite de la légende... HUITIÈME MERVEILLE DU MONDE ! Il recule de trois pas et s'écarte pour que la lumière des phares donne en plein dessus. ROCK CITY... LA HUITIÈME MERVEILLE DU MONDE ! Il lit et relit l'inscription, détaillant chaque lettre, notant les craquelures et les nœuds dans le bois qui tracent de minuscules tourbillons. Le sentiment est de plus en plus net. Le dernier mystère de l'Ouest se tient là. Toutes les routes de sa vie, celles qu'il a prises et les autres l'ont mené jusqu'à cette cabane abandonnée. Le rêve américain le regarde dans les yeux.

Un ronflement de moteur roule au loin. Il regarde vers la route. Non, c'est le vent qui fait trembler les arbres. Que rien n'ait de sens ou que tout ait une signification, ça revient au même. Son ombre le fait soudain tressauter et son sang se glace. Tout se résout en bruit blanc. Une présence étrange a envahi sa perception. Le vent souffle plus fort. Un nuage de poussière lui vole au visage. Une peur inexplicable le cloue au sol et il doit produire un monstrueux effort pour rejoindre la voiture.

Il démarre et recule dans le chemin. Bouche sèche. Mains moites. Deux roues à cheval sur le talus. Les pierres cognant sous le châssis. Il se sent une panique d'animal fuyant le danger.

Les arbres bordant la route ploient sous les rafales du vent dans un chahut du tonnerre. Le niveau d'essence est sur *empty* mais Paul s'élance quand même sur le chemin du retour tandis que les gouttes de pluie commencent à marteler la carrosserie et les vitres. Il laisse dans son dos Rock City, la huitième merveille du monde.

Il roule à fond, sans se soucier de savoir jusqu'où l'emmènera son ultime lichette d'essence. Le visage de Luci à travers le rideau de pluie. Des lueurs violettes dans le ciel. La buée de son souffle précipité qui embrume le pare-brise…

Les stations de radio interrompent leurs émissions et diffusent des avis d'évacuation pour les régions côtières. Des adresses d'abris sont données entre Crescent Beach et Garden City. L'ouragan qui balayait hier soir le sud de la Jamaïque se dirige sur la Caroline précédé d'un front orageux d'une extrême violence. Dans un délai de trois heures, interdiction formelle de circuler à bord d'un véhicule. Les services de protection civile font appel à la Garde Nationale.

La musique s'interrompt et Paul écoute, médusé. Le speaker annonce que L'OURAGAN « PAUL » PROGRESSE RAPIDEMENT VERS LES CÔTES AVEC DES VENTS TOURBILLONNANTS DE PLUS DE DEUX CENTS KILOMÈTRES HEURE. DES COLONNES DE VOITURES QUITTENT LA VILLE POUR REMONTER VERS LE NORD...

La cigarette tombe de ses lèvres. Tout ça est de sa faute. DE SA FAUTE À LUI ! Il se brûle les doigts en repêchant son clope entre ses cuisses et il entend le TCHOMP TCHOMP du sang qui bat à ses tempes. L'OURAGAN PAUL PROGRESSE RAPIDEMENT... et il n'y a ni radio ni télé au mobile-home. Luci est coincée là-bas, entre la mer et le marais, là où la tourmente frappera le plus fort. S'il lui arrive quelque chose...

Une énorme bourrasque déporte la voiture. Pourquoi l'avoir choisi lui pour nommer ce putain d'ouragan ? Pourquoi est-ce qu'il faut qu'il soit mêlé à ce cataclysme ? Il voulait seulement enterrer le passé et repartir du bon pied.

C'est après avoir bifurqué sur la Route 544 que l'oiseau de feu se met à tousser et à cafouiller. Voyant rouge allumé. À cinq mètres devant, visibilité nulle.

Paul touche le fond. Le fin fond.

15

LE CALME ET LA TEMPÊTE

Une ombre court dans le déluge, trébuche et saute sur la route en faisant des moulinets avec les bras.

— ARRÊTEZ-VOUS ! STOP ! HELP !

Le visage de Paul apparaît dans l'éclat des phares. La pluie noie ses traits. Les voitures le dépassent dans des trombes d'eau. Personne ne ralentit. Tout le monde fuit.

— HÉ ! STOP ! ARRÊTEZ !

Il est exténué, à bout de souffle. Depuis combien de temps patauge-t-il dans les flaques et la boue ? Naufragé sans radeau. Derrière lui, la ligne d'arbres se balance en gémissant. Déchirements dans les feuillages. CRAAAK ! Il évite de justesse une branche morte qui s'abat un mètre devant lui. Une gerbe de flotte le fouette. Un appel d'air le renvoie en arrière. Les feux rouges d'un camion disparaissent dans la nuit. LUCI ! LUCI ! MAIS QU'EST-CE QUE J'AI FAIT ! JE VOULAIS PAS ÇA ! ATTENDS... J'ARRIVE ! RESTE OÙ TU ES !

À croire qu'ils veulent tous sa mort. Un type sort la tête par la vitre d'un break, pointe un doigt véhément en direction du nord et gueule quelque chose que le vent emporte. Paul se remet à courir, remontant le flot de bagnoles les dents serrées, de l'eau plein les bottes, vêtements collés à la peau. MERDE ! La station-service du carrefour de Pinelake est fermée. Pas une lumière. Une dépanneuse garée sur le parking... Il se jette dessus. Verrouillée. Il cavale pour regagner la route quand une camionnette s'engage sur la voie de dégagement dans un nuage de vapeur.

— HEEEY !

Un vieux avec sa femme et les gosses. Des visages affolés. Un môme qui hurle. Paul s'accroche à la portière mais l'homme secoue furieusement la tête. Pas question qu'il l'emmène où que ce soit. Il a besoin d'essence. Sa femme l'attrape par la manche. Le gosse braille de plus belle. La camionnette redémarre.

Une ombre nue et muette... Flashes des phares. Reflets brouillés sur l'asphalte inondé. ILS VEULENT TOUS SA MORT. Paul est à plus de dix kilomètres de Garden City. Aucune chance d'arriver à temps. Les dernières informations entendues avant d'abandonner sa voiture annonçaient l'approche accélérée de l'ouragan. Une zone de basse pression au large des Carolines lui donnait un tonus d'enfer. Peut-être que Luci a été évacuée... Peut-être que non... Peut-être qu'elle dort et qu'elle n'entend pas Crazy Lou gratter à la porte en couinant. Il court... Il court. Il tombe. Se relève. Il pleure. Son cœur lui pilonne les côtes. PLUS VITE ! PLUS VITE ! La pluie dégouline sur ses paupières, dans ses yeux, dans sa bouche. PLUS VITE !

On n'a jamais rien à soi. ILS VEULENT TOUS SA MORT. Jamais rien. Les plants de tomates emportés, les rigolades, les nuits de baise... tout... dans l'ouragan... On se retrouve à courir dans un fleuve de boue à la rencontre de la grande bourrade terminale. Il va encore tomber et encore se relever. Jusqu'à ce qu'il reste par terre. PLUS VITE ! COURIR AVEC DES PAQUETS DE BOUE AUX FESSES... COURIR TANT QU'ON A LA ROUTE SOUS LES SEMELLES...

Les halos blancs des phares plantés dans ses yeux... Le bruit d'un moteur qui pétarade... Paul a un atroce point de côté. Il bute dans une pierre et roule sur le bas-côté. L'aile avant d'une Ford vieux modèle stoppe dans une flaque. Il voit la pluie noire sautiller à la surface... Il voit une silhouette sauter du marchepied.

– Hé ! Paul !

Il tourne la tête. La poitrine en feu. Jambes en coton. C'est Bernie qui est penché sur lui. Bernie qui le prend par le bras et le tire jusqu'à la voiture. Paul tombe sur le siège. IL Y A DONC UN DIEU ET IL M'A ENTENDU. Bernie s'installe au volant et claque sa portière. Des bagnoles les doublent en klaxonnant. Il demande à Paul :

– Ça va ?

Paul regarde le tableau de bord à trois cadrans. Le portrait de Meher Baba est accroché à la tirette du starter.

– Il faut... aller chercher Luci.

Bernie enclenche la première aussitôt. La boîte grince. Il braque et amorce un demi-tour suicidaire sous le nez d'un camion qui arrive en sens inverse. Le bahut lance un mugissement de sirène avec appels de phares. Paul ferme les yeux. Il s'enfonce dans son siège tandis que Bernie écrase l'accélérateur. La Ford s'arrache brutalement, évitant le massacre de justesse.

— C'est la providence qui t'envoie, Bernie. Je me le pardonnerais jamais s'il arrivait quelque chose à Luci... Putain, quelle histoire !

Il n'y a qu'un seul essuie-glace et il fonctionne au ralenti, coupant à peine le rideau de pluie qui cascade sur le pare-brise. Bernie hoche la tête.

— Rien n'arrive par hasard. Tu comprends maintenant ?

— Je comprends quoi ? Qu'est-ce que tu fous avec la bagnole du guru ? Tu l'as piquée ? Je me figurais même pas qu'il y avait un moteur sous le capot.

Le visage de Bernie est arrosé par les lumières des véhicules venant en face. Ils sont seuls à rouler vers la plage.

— C'est LUI qui m'a dit de la prendre.

— Qui ça, lui ?

— Baba. Il s'est adressé à moi à travers son portrait accroché dans la salle de musique. Les Forces de l'Amour des Onze Bouddhas ont déclenché la tempête pour réveiller les humains de leur rêve de mort !

L'aiguille du speedomètre est bloquée au maximum et il est clair que Bernie n'a pas pris son lithium avec son petit déjeuner. Paul trouve dans son paquet une cigarette un peu moins mouillée que les autres et l'allume. Meher Baba est mort et enterré. Qu'est-ce que ce serait si l'ouragan s'appelait Bernie. Ils ne font pas allusion à la soirée d'hier. Ni l'un ni l'autre. Paul lui demande même pas ce qu'il a fait de Wendy.

— Il y a une couverture derrière. Tu ferais mieux d'enlever tes fringues et de te sécher.

Une brusque saute de vent et la voiture fait une embardée. La nature du réel ? Difficile à dire... Paul se contorsionne dans tous les sens pour se déshabiller puis se roule dans la couverture. Ils approchent de Garden City. Bernie conduit la Ford sacrée avec un calme et une maîtrise absolus. Vers l'œil de l'ouragan. Le centre de méditation a été évacué un peu plus tôt dans la nuit. Il est presque quatre heures du matin et il n'y a que la FOI qui sauve.

– C'est Baba qui m'a tendu les clés de la voiture... Tu comprends, IL A VU MA SOUFFRANCE. Des types ont sillonné les allées du parc en criant dans les mégaphones et tout le monde s'est mis à courir vers la sortie. À QUOI ÇA LEUR SERT DE SAVOIR S'ILS S'ENFUIENT COMME LES AUTRES ?!

– Ça ne m'explique pas comment tu m'as trouvé...

Bernie hausse les épaules avec un sourire.

– Toi et moi, on est pareils, Paul. On est des Sauveurs. Qu'on le veuille ou non, c'est notre mission sur terre.

La Route 17 est déserte. Ils la quittent au bout de deux kilomètres pour tracer droit sur la côte. Le Grand Glauque mérite vraiment son nom ce soir. Une masse énorme et écumante qui semble ruer dans les brancards et sur le point d'exploser. Paul se ronge les doigts en apercevant le signe planté au-dessus de la rangée de boîtes aux lettres BIENVENUE À MARBELLA'S COURT. Il saute de voiture.

Pas une âme. Paul remonte en courant la file de mobile-homes apparemment abandonnés en toute hâte. Portes qui battent au vent. Le sable creusé par des démarrages-panique. Il se prend les pieds dans la couverture et manque de s'étaler, la remonte sous ses aisselles en serrant les coudes.

Le vent tombe subitement. Mauvais signe. Pas un bruit dans les arbres. Une tranquillité à faire peur quand on sait ce qui s'amène derrière. Il grimpe les trois marches du bungalow et entre en trombe.

Luci éclate de rire. La porte claque dans le dos de Paul. Malgré l'obscurité il la voit. Elle est assise à la table de cuisine, une bouteille de gin aux trois quarts vide devant elle. Complètement nue à l'exception d'un slip. Avant qu'il ait pu dire un mot elle fait d'une voix pâteuse :

— Je me demandais lequel Paul arriverait le premier... toi ou l'ouragan.

Elle essaye de se lever mais ses jambes flageolent et elle y renonce.

— C'est toi qui as gagné, elle ajoute en gloussant.

Paul allume le plafonnier.

— Si tu savais, pourquoi tu n'es pas partie te mettre à l'abri avec les autres ?

Elle secoue furieusement la tête et prend un ton outragé.

— Pas question, Paul ! Une femme attend son homme. C'est ce que j'ai dit à madame Wilkins. Une femme attend toujours son homme...

— Habille-toi. Bernie a une voiture. Il faut déguerpir en vitesse. Ce machin va être balayé comme un fétu de paille !

Luci bascule sur son siège, tête renversée en arrière. Elle rigole jusqu'à s'en étrangler :

— ET C'EST TOUT CE QUE TU AS ÉTÉ CAPABLE DE NOUS TROUVER COMME MAISON : UN FÉTU DE PAILLE ! TU AS LE CULOT DE ME LE DIRE ! DAMN YOU !

— Luci ! C'est pas le moment. Dépêche-toi. Bernie nous attend.

Elle lui tourne le dos, se ressert un verre.

– Qu'il attende. Je t'ai bien attendu, moi ! J'AI PASSÉ LA NUIT À T'ATTENDRE !

– Écoute... je regrette tout ça, je te jure. Je suis tombé en panne sèche. J'ai cavalé sous la pluie... J'ai...

Crazy Lou se met à aboyer de l'intérieur de la chambre dont la porte est fermée. Elle saute contre le battant en gémissant. Luci sursaute, les traits tendus, les yeux fous.

– TU ME LAISSES AVEC CET ANIMAL QUI HURLE À LA MORT TOUTES LES CINQ MINUTES... QUI ME REGARDE FIXEMENT EN GROGNANT... Paul ! CETTE BÊTE A LA MORT DANS LES YEUX. JE NE SUPPORTE PLUS SON REGARD !

– Luci... Okay, tu as trop bu. Tout est de ma faute, je sais. Mais maintenant il faut que tu fasses un effort pour t'habiller et venir avec moi. On a juste le temps de foncer vers l'abri de l'autre côté de la rivière.

Elle siffle son verre.

– Je reste. J'attends mon homme... c'est pas toi mon homme. Un homme donne pas à sa femme un fétu de paille et un chien enragé. Tu es irresponsable, Paul. COMPLÈTEMENT IRRESPONSABLE !

Ils entendent une pétarade juste sous la fenêtre.

L'instant d'après Bernie pousse la porte.

– Alors ? Qu'est-ce que vous faites ?

Luci s'est pris la tête dans les mains et sanglote au-dessus de son verre, les coudes sur la table. Crazy Lou hurle à la mort dans la chambre. Et Paul, au bout du rouleau, baisse les bras. Il abandonne. Son vêtement improvisé tombe à ses pieds. Il ne se baisse même pas pour le ramasser.

Nu et muet.
ROCK CITY... LA HUITIÈME MERVEILLE DU MONDE !

Cinq heures du matin. Silence de plomb sur le paysage. Une immobilité effrayante. Le ciel passe par toutes les teintes en quelques minutes. Mauve. Rouge. Vert. Gris. Noir. Luigi est assis au bar, les autres autour de lui. Il décolle son oreille du poste de radio. Paul referme la porte et revient vers eux. Luigi secoue la tête. On n'entend plus que des crachotements sortir du haut-parleur. L'émetteur de Georgetown est à cette seconde précise au cœur de l'ouragan. Le speaker doit être couché sous la table de mixage un matelas sur le dos. En train d'attendre. D'attendre quoi ? Aux dernières informations, Paul avait dévasté la ville de Harbor's Point, noyé Charleston sous plusieurs mètres d'eau et emporté tous les chalets de plage entre John's Island et Harlemville. L'ouragan Paul est précédé d'un front de tornades. De ces saloperies qui tombent du ciel en une vrille noire et vous drillent un bâtiment de six étages comme un bloc de beurre frais. Le restaurant de Luigi s'appelle LUIGI'S et c'est un des rares bâtiments en dur de Garden City. Il est bâti de briques rouges. Toit plat en béton armé. Porte en noyer massif. Le royaume de la pizza et du spaghetti est un vrai bunker dans son genre. Au-dessus du bar il y a le tableau pour les plats du jour. Luigi a écrit dessus : SOIRÉE OURAGAN ! LE PREMIER VERRE EST POUR LA MAISON ! C'est sans doute le seul abri dans le coin qui offre à boire aux clients. Luigi est dans le métier depuis vingt ans. Il en est pas à son premier ouragan.

Ils sont une douzaine. Deux couples de touristes

en rade, une femme seule toujours pendue au téléphone à essayer de joindre quelqu'un, un motard borgne en tenue de léopard qui a rentré sa Harley crème chez Luigi's et lui bichonne les chromes avec un mouchoir à carreaux, trois vieux dont un bilieux qui fait sans arrêt des allers et retours entre la salle et les chiottes. Paul, Bernie et Luci s'installent à une table avec leur drink. L'ouragan progressant à une vitesse de trente kilomètres heure... il sera là dans moins d'une demi-heure. Les vents ont atteint deux cent cinquante kilomètres heure sur Harlemville.

– Restez loin des fenêtres quand ça se met à souffler ! fait Luigi en traversant la salle.

Il finit de scotcher les carreaux. Après ça il couche les tables par terre, à part trois ou quatre qu'il laisse debout. Il sort des verres en plastique et des petits sandwiches froids au thon et à la tomate.

Luci et Paul se sont à peine parlé depuis le mobile-home. Bernie voulait remonter jusqu'à l'abri de Crescent mais quand il a vu le ciel commencer à changer de couleur...

Paul lève les yeux au plafond en soupirant :

– *Shit !* Dire qu'on va peut-être être écrasés sous trente tonnes de béton... (En regardant Luci :) Ce serait con de mourir fâchés toi et moi, non ? Une éternité à se faire la gueule. Tu vois ça ?

Il lui tend un kleenex. Elle le prend et essuie les traces de noir sur ses joues. Crazy Lou suit leur manège des yeux, une oreille dressée. Elle est assise entre leurs chaises et a de temps en temps un regard pour l'assiette de salami posée sur la table.

Bernie a pris deux Valium. Paupières lourdes.

Gestes lents. Il sourit béatement. L'ouragan ne serait d'après lui qu'une masse de réalité à densité très haute envoyée par les dieux pour pulvériser la Grande Illusion américaine : LA NUIT DE L'HOMME APPROCHE... ŒIL POUR ŒIL DENT POUR DENT – KARMA RECYCLÉ – Le seul VÉRITABLE abri est dans l'esprit. Ceux qui ont œuvré avec les Ombres-puantes mourront telles des Ombres-puantes.

Luci boit une gorgée de jus d'orange.

– Tu as vraiment enterré ta machine ?

– Oui.

– Et tes papiers ?

– Pareil.

Elle hésite un moment avant de demander :

– Et maintenant ?

– Quoi et maintenant ?

– Qu'est-ce que tu vas faire ?

– Comme d'habitude : chercher un boulot. (Il se penche vers elle et lui attrape les mains. Elle le laisse faire.) Si la maison n'est plus là quand on revient on peut toujours prendre une chambre de motel... le temps de voir venir. À moins que...

Sans prévenir elle se jette sur sa bouche et glisse sa langue entre ses lèvres. Il respire son odeur, son souffle... Il respire de bonheur et à ce moment-là il voudrait l'emporter, l'emporter loin, comme un ouragan...

– IL FAUT QUE JE PARLE À QUELQU'UN ! PLEEAAZZZ ! IL FAUT QUE JE VOUS PARLE ! HARRY NE RÉPOND PAS AU TÉLÉPHONE ! IL N'Y A PERSONNE ! PERSONNE ! JE VAIS DEVENIR FOLLE ! JE NE VEUX PAS MOURIR, MOI !

Elle doit avoir dans les trente-cinq ans, petite

et grosse, le cheveu terne et elle s'assoit à leur table. Paul lui offre une cigarette et lui dit de se calmer, que dans deux ou trois heures on pourra sortir du pizza-bunker et retourner chez soi constater les dégâts. JUSTE RESTER CALME en attendant que ça passe. Luigi leur donne deux bougies. Il consulte sa montre et annonce que s'ils veulent un autre verre c'est tout de suite. Pas de service pendant l'ouragan. Paul lève le sien. Tequila-pamplemousse-grenadine. Le motard a entrouvert la porte mais reste prudemment sur le seuil. On aperçoit un morceau de ciel couleur jaune charbon et quelques palmiers qui se tordent dedans.

— ÇA Y EST ! PAUL ARRIVE ! il crie tout excité.

La petite grosse se dresse d'un bond et court vers le téléphone en poussant une plainte aiguë. Crazy Lou aboie, les deux oreilles à l'horizontale. Et Bernie somnole sur sa chaise, mains croisées sur le ventre. Jamais Paul ne l'avait vu aussi détendu et reposé. Par les vitres fumées on voit la route, le parking du Piggly-Wiggly et la laverie avec le fameux slogan peint sur la vitre : FRAIS COMME UNE FLEUR EN MOINS D'UNE HEURE !

De l'autre côté, la terrasse du Burger King, les tables scellées sur la dalle et les parasols en fer peints en rouge et jaune. Des voitures arrêtées. Des poubelles le long du trottoir. Pas un chat. De la poussière qui tournoie...

La première seconde de l'univers devait ressembler à ça. Juste avant. La dernière aussi d'ailleurs. Juste après.

Paul déguste son drink.

Se perdre, donc. Se perdre...

Cent bisons arrivant au galop à travers la prairie... Cinq cents bisons arrivant au galop... Deux mille bisons arrivant... Dix mille bisons...

Arrivant au galop. Luigi est collé à la porte et les écoute. Tous les verrous sont poussés. Il les entend arriver et le bruit ne cesse pas de monter. Personne ne dit un mot. Seulement un cri quand l'électricité saute et qu'ils se retrouvent dans le noir. La petite grosse a laissé choir le téléphone qui pend au bout du fil. Paul distingue le bip-bip lointain d'une ligne vide sur laquelle galopent cinq cent mille bisons. Luci à la lueur d'une bougie. Le parquet qui se met à trembler. Il sent ce vieux vertige au creux du ventre, sa gorge qui se dilate comme pour libérer un cri des profondeurs. Il se revoit au volant de son oiseau de feu plongeant dans la lame escorté par les buffles noirs de la colère... et entrer dans le roman, ruisselant d'écume. Mais le roman est mort et enterré. Il est veuf d'un cri. Certaines choses ne peuvent s'écrire, surtout l'essentiel. Le roman est mort à Rock City. Le meilleur roman JAMAIS écrit. C'est fou comme le dérisoire s'étire à des dimensions extravagantes un soir d'ouragan... c'est ce que Paul se dit en suivant des yeux un vol de poubelles.

La dépression tropicale née quelque part dans la mer des Caraïbes dévale la Route 17 à un train d'enfer. Un vent de verre brisé. Des gens se couchent sur la moquette avec une couverture autour de la tête. Luigi répète PAS PRÈS DES VITRES ! Et le tonnerre explose. Ça se met à cogner de tous les côtés à la fois. Des débris de bois et de plastique volent dans une clarté spectrale. Palmiers arrachés, les parasols du Burger King lancés au-dessus de la route comme une volée de frisbees...

216

Luci est couchée sur le ventre, Bernie et Paul, un genou au sol. Le vrai grand choc, c'est quand la vitrine de la laverie éclate d'un seul coup et qu'un bras de l'ouragan s'engouffre dedans. Ils assistent à l'envolée des machines à laver et des séchoirs qui traversent la route dans un cahot du diable et partent s'écraser dans toutes les directions. Par miracles les fenêtres de Luigi's tiennent bon. La porte pousse sur ses gonds mais résiste.

Luci et Paul roulent sur la moquette et s'embrassent. Au cœur de la tempête quelquefois le calme…

16

À CORPS PERDU

Paul a tué vingt-sept personnes dans sa terrible balade depuis le golfe du Mexique jusqu'aux premiers contreforts des Smokey Mountains de Caroline du Nord. Pas de victimes à Crescent et Garden City mais des dégâts considérables. Marbella's Court a été balayé par l'océan. Une vague géante a tout sucé vers le large. Le mobile-home et son bar en bois naturel. Les plants de tomates. Emportés. À la place un marais chamboulé piqué d'oiseaux morts et de crabes affolés. Un chalutier en perdition s'est échoué à plus d'un kilomètre dans les terres avec son équipage sain et sauf. Paul et Luci n'ont sauvé du déluge qu'une valise bourrée à la hâte avant de quitter les lieux. Son smoking et quelques robes à elle. Plus ce qu'ils portaient sur le dos. Légers comme des moineaux ils sont partis en quête d'une chambre.

L'oiseau de feu a été retrouvé gisant sur le côté, là où Paul l'avait abandonné. Les pompiers l'ont remis sur ses pattes. Il est arrivé avec un jerrican de vingt-cinq litres et la bête est partie au quart de tour.

La nature du réel ? C'est à se demander s'il y a vraiment là-haut dans les sphères une logique à ce tissu d'absurdités. Paul en est à sa troisième bière. Le Bowery Bar a perdu sa clientèle de pochards itinérants descendus plus vers le sud. Reste qu'une poignée d'habitués. Des ventouses de comptoir à la descente abrupte. Pas d'orchestre. Juste le juke-box. Luci finit dans deux heures et Paul va aller la chercher à l'Howard Johnson. En attendant il boit à la mémoire de ses plants de tomates, de son rêve en carton-pâte emporté dans la tourmente. Il boit à son roman qui pourrit sous terre, à la demi-douzaine d'écrivains qui sont morts en lui. Il a une promesse de job pour après-demain et des doigts plein les mains. La vie poursuit son chemin.

Ocean Boulevard est encore jonché d'enseignes de motel arrachées et le sable couvre la route. Dix heures du soir. Une petite bruine crachote dans le noir. Les rock-bars sont fermés. Pareil pour l'ice-cream parlor. Crescent Beach est une ville morte. Des lunes éteintes dorment dans les vitrines des magasins. Rien ne peut les réveiller. Ni l'éclat des phares des rares voitures qui passent ni le pas absent de Paul qui sort du Bowery pour gagner le parking.

Ils logent au Four Gables Motel, Luci et lui. Chambre double avec kitchenette. Deux télés. Vue sur le mini-golf. On paye d'avance et à la semaine. Les journées se déroulent avec lenteur. Ils restent au lit à regarder la télé et font l'amour pendant les pubs. Rideaux tirés. Bougies plantées dans les bouteilles de vermouth. Luci l'enduit d'huile d'amande douce et glisse sur lui en ondulant. C'est le jeu de la pirogue descendant les rapides. Ils tombent du pieu en poussant des cris de sauvages. Paul mord le rideau en se frappant la poitrine. Ils ont comme ça un tas de jeux érotiques auxquels ils se livrent avec une fougue d'acrobates déchirés. Ils tracent des figures audacieuses dans le vide et puis s'écroulent dans les bras l'un de l'autre, suffoqués et pantelants. Avant qu'elle parte chanter, Paul réchauffe le pot de soupe à l'oignon qu'il allonge d'un verre de vin. Enfin il traîne en l'attendant. Désœuvré. Incapable d'une pensée cohérente. Absorbé par le vide de son absence. Hanté par les sommets irrespirables où la passion l'égare. Il lit des polars de seconde main qu'il achète à la boutique de l'Armée du Salut. Sort boire un coup ou deux, au Bowery ou chez Duffy's. Tourne en rond. S'emmerde. Se laisse prendre par les sales tours que lui joue son esprit paumé... Il l'imagine par exemple en train de se faire draguer par un de ces sportifs du soir toujours à l'affût. Le type est accoudé au piano et la déshabille des yeux. Luci porte sa robe de mousseline jaune qui lui moule les seins et Paul la trouve carrément indécente à rire bêtement aux conneries du mec, à se pencher vers lui avec tous les spots du bar qui scintillent dans ses yeux. La scène se prolonge en tortures infâmes. Il devient fou de jalousie. Prêt à tuer. Jusqu'au moment où il se met à parler aux murs, où le reflet de son visage dans le carreau de la fenêtre lui arrache un cri de douleur et que son ombre démesurée lui claque la porte au nez. Il y a dans l'univers des forces immondes s'employant à vous rogner la moindre particule de bonheur et de sérénité. Paul les entend comploter contre lui.

— Qu'est-ce que tu racontes ? demande-t-elle.

Luci vient de plaquer le dernier accord de la soirée. Le bar respire l'ennui. Deux barmans mélancoliques. Une serveuse blême appuyée au distributeur de cigarettes. Quelques types esseulés flottant dans leur verre tels de mornes nénuphars.

Paul a gambergé toute la soirée et maintenant il crache la vapeur :

— Je ne veux plus que tu mettes cette putain de robe jaune ! On voit à travers. T'as qu'à chanter à poil pendant que tu y es ! Tu vois donc pas comment les mecs te regardent ? ! Ces yeux de maniaques sexuels !

Luci inspecte la salle avec une moue sceptique. Les lumières du fond s'allument et l'un des barmans commence à mettre les chaises sur les tables.

— Et alors ? C'est leur problème, pas le mien. Tu m'as dit que tu adorais cette robe...

— Plus maintenant.

Elle se lève et ramasse ses partitions. Il suit chacun de ses gestes. PAUL TU DIS N'IMPORTE QUOI ! CHERCHE PAS LE DRAME ! TU DÉRAILLES ! Mais c'est plus fort que lui, il faut qu'il vide son sac :

— Ça t'amuse de jouer aux salopes, c'est ça ? Tu t'en fous de ce que ça me fait !

Elle blanchit, sentant les regards se tourner dans leur direction.

— Pas ici, Paul.

— Quoi, pas ici ?

— Me fais pas de scène de jalousie. Je suis crevée et j'ai mal à la gorge.

Elle s'écarte de lui. Il l'attrape par le bras.

— ÉCOUTE-MOI, MERDE ! Tu t'en fous de ce que je ressens ?

– C'est pas ça qui paye le loyer !

Elle lui échappe et trotte vers le bar, se hisse sur un tabouret, demande un verre au barman. Il est derrière elle, les poings serrés.

– Je vais trouver du fric !

Un vin blanc sur glace arrive en face d'elle. Le barman reluque Paul d'un œil froid et retourne à ses torchons.

– Je vais trouver du fric pour que t'arrêtes de faire la pute !

Il voit sa nuque se raidir. Le verre tremble dans sa main. Quelques secondes s'écrasent au sol, lourdes et chargées de menaces. Puis Luci pivote sur les fesses et lui lance à la face :

– ESPÈCE D'ABRUTI ! Je travaille ici. C'est mon job. Qu'est-ce que tu cherches ? à me faire avoir des ennuis ?

Paul est tout à coup frappé par le silence. Pas de musique d'ambiance. Rien. Les images se bousculent dans sa tête. De quoi est-ce qu'il a si peur ? Qu'un autre homme la touche, la fasse jouir ? Qu'elle ne l'aime plus ? Qu'elle respire sans lui ? Qu'elle dorme dans un lit à dix mille kilomètres d'ici et qu'il meure de solitude et de chagrin ?

– Viens, Luci. On s'en va.

– Tu permets que je souffle cinq minutes, oui ?

– Tu m'as trompé ? Est-ce que tu m'as déjà trompé ?

– Fiche-moi la paix !

– Réponds-moi.

– Ne sois pas stupide.

– Pourquoi tu veux pas répondre ?

– Tu te conduis comme un gosse.

– ET TOI COMME UNE PUTAIN !

– NE RÉPÈTE JAMAIS ÇA !

– PUTAIN !

– JE TE HAIS !

Le cri de Luci résonne dans la salle comme un monstrueux coup de gong. Les quelques clients assis aux tables sont figés, suspendus à la scène qui se déroule sous leurs yeux. Paul avale un filet de salive, la gorge nouée. Il regarde le barman approcher et demander à Luci si tout va bien, si elle a besoin d'aide. Luci qui a des larmes dans les yeux, qui secoue la tête. Pourquoi est-ce qu'il a fait ça ? Il faut qu'il soit fou ! MALADE ! Il n'avait aucune raison. Aucune. raison de lui faire mal. Cette robe jaune est okay. Il délire. Elle est là en train de s'user le système à chanter pour une bande de ploucs débiles et il vient la faire chier avec sa foutue parano !

– Luci… pardonne-moi, je…

– Écoutez mon vieux, je crois que vous feriez mieux de la laisser tranquille.

Paul scrute la prunelle bleu polaire du barman et lui renvoie la balle :

– Toi, mêle-toi de ce qui te regarde !

– Justement.

Décidément Paul a le syndicat des barmans contre lui. Une plaie. Il accroche Luci par l'épaule. Elle ne réagit pas. Dos tourné. Une pierre.

– Luci, viens. On s'en va.

Le mec de la sécurité entre dans le bar. Un gros à casquette avec talkie-walkie sur la hanche. Un énorme trousseau de clés pend à sa ceinture. « Trop fragile, se dit Paul. Je suis trop fragile pour tout ça. » Il se tasse sur ses jambes. Le gros le toise avec cette indifférence tranquille qu'affectent les costauds sûrs de leur coup.

– Luci. Je le pensais pas. Je sais pas ce qui

m'a pris. J'en ai marre de tourner en rond. Ça me perturbe. Ed m'a donné du boulot, tu sais... Je commence après-demain... Dis à ce type de pas foutre ses mains sur moi.

La serveuse le regarde depuis le bout du comptoir. Elle est maigre comme un débouche-pipe. Un visage sans expression. Le barman tapote gentiment le bras de Luci. Le faux-cul typé. Il doit se dire que c'est un bon plan, qu'il a sa chance avec elle, qu'elle a besoin d'un nounours câlin pour la consoler.

Arrêt sur image. Situation bloquée. S'il y avait une falaise, Paul sauterait.

Le gros essaie de le prendre par le col. Il esquive.

– Allez, fais pas d'histoires. Tu te tires et on n'en parle plus.

– Luci ! Merde, dis quelque chose. PERSONNE T'AIMERA JAMAIS COMME JE T'AIME !

Une ombre dans son dos. Paul se retourne. Le deuxième barman avance vers lui en faisant claquer une matraque dans le creux de sa paume.

– LUCI !

Le gros de la sécurité profite de sa surprise et lui saute dessus. Paul plie les genoux, terrassé par une clé au bras. Deux clients applaudissent dans la salle. Il rampe presque sur la moquette, tiré jusqu'à la porte par son bourreau. L'air frais du dehors lui regonfle les poumons. L'enseigne lumineuse du Howard Johnson se reflète dans une flaque d'eau. Il tente de l'éviter mais bernique. La solide bourrade du gros l'envoie rouler dedans. FLACK !

Chutes et déroutes, c'est son lot. Nulle part est sa place.

— ET T'AVISE PAS DE REMETTRE LES PIEDS ICI, FUCKER !

LUCI BALDI, LIVE MUSIC. TONITE AT THE HOWARD JOHNSON LOUNGE.

Les néons de l'enseigne clignotent au-dessus de la façade en crépi. Paul attend dans la voiture. Son froc trempé fait scouitch sur la housse du siège à chaque fois qu'il remue les fesses. Il allume une nouvelle cigarette et refermant la pochette d'allumettes, il lit le slogan imprimé sur le rabat : « PRENEZ LA VIE DU BON CÔTÉ. » Mais lequel est le bon ? Paul a l'impression de les avoir tous essayés. Aucun ne semble coller.

Un quart d'heure plus tard... Luci entre dans son champ de vision. Seule d'abord puis rejointe par le barman qui l'escorte jusqu'à une Toyota gris métallisé. Elle monte. Il claque la portière pour elle, fait le tour de la bagnole et s'installe au volant. Paul est trop secoué pour penser à faire quelque chose. Luci ne lui donne pas sa chance. Le message est clair : elle SAIT qu'il est là à l'attendre mais elle lui file sous le nez. Le temps qu'il enregistre ces nouvelles données et la Toyota a démarré. Elle sort du parking. Paul met le contact et la suit sans réfléchir.

Il roule en pleins phares à une dizaine de mètres derrière eux. Ne quitte pas des yeux le profil de Luci dont l'ombre se découpe dans le flot de clarté blanche. Il n'a rien en tête. Pas question qu'il lâche Luci, c'est tout. Il a tous ses esprits. Il est même calme à présent. Légère accélération et il gagne encore quelques mètres sur la bagnole. Barman met son clignotant pour l'inviter à doubler. Les trois voies sont libres. Mais Paul ne décroche pas. Reste collé derrière. La route traverse un bois de pins juste avant d'entrer dans Crescent. La Toyota tente alors une échappée. Paul voit Luci se retourner et regarder vers lui. Barman prend une dizaine de longueurs à l'oiseau de feu. Pas davantage. Paul écrase la pédale des gaz et se retrouve en trois secondes à flairer le cul de la japonaise. Il ne lève pas le pied. Le pare-chocs de la Toyota sombre lentement et disparaît au bout de son capot. Il ne lève toujours pas le pied. CRAAASH !

Le premier choc surprend tout le monde. Même Paul qui fait un bond sur son siège. Barman s'affole. Ses deux feux rouges ont sauté et l'oiseau de feu revient à la charge. Il accélère. Paul met toute la gomme. La Toyota fait un saut de crapaud en hurlant des pneus. L'aile arrière gauche vole en éclats, retombe sur la chaussée dans une gerbe d'étincelles. Paul donne un coup de volant sur la droite. Le visage de Luci pris dans le faisceau de ses phares... Ses gestes désespérés pour qu'il arrête le massacre... Le profil-épouvante de Barman... Paul allume la radio, volume à fond et enfonce le pied au plancher...

CRAASSH BLANG ! Le coffre de la Toyota s'ouvre sous le choc. La voiture se déporte sur le bas-côté, dérape dans le gravier, se rétablit mais au lieu de repartir coule dans l'herbe pour s'immobiliser un peu plus loin.

Le type est comme fou. Il saute sur place en exorbitant les yeux sur les dégâts et pousse des cris de cochon. Le premier réverbère d'Ocean Boulevard brille au-dessus de sa tête. Paul descend de voiture.

— T'ES PAS DINGUE, NON ! TU VAS PAYER ÇA 'SPÈCE
DE MALAAADE !

Barman jette son poing de toutes ses forces.
Paul le reçoit à la pointe du menton et recule
d'un pas. Il appelle :

— LUCI !

Un second coup lui écrase le nez. Cette fois il
tombe sur le dos. Le sang pisse par une narine.
Barman lui flanque son pied dans les côtes.

— FUMIER ! J'VAIS TE DÉMOLIR LA GUEULE ! J'VAIS
TE BOUSILLER !

Paul replie les jambes pour se protéger l'estomac. La semelle du type lui pleut dessus sans
répit. Il roule sur le ventre et tente un rétablisse-
ment. Sa main se pose sur une pierre qu'il ramasse.
Il pousse sur ses jambes...

Barman a le bon réflexe. Il baisse la tête. Le
galet lui siffle à l'oreille et va smasher le pare-brise
arrière de la Toyota. Ça lui coupe son hystérie. Il
prend peur. Se retourne vers Luci qui les regarde
depuis le bord de la route. Pétrifiée. Pendant quelques secondes on entend juste les moteurs des deux
voitures ronfler au ralenti. Les respirations hachées
de Paul et de Barman. Et puis une paire de phares
apparaît au loin s'approchant rapidement.

— Luci... Tu viens ? demande Paul d'une voix
un peu rauque.

Elle fait oui de la tête.

Barman :

— Hé ! Une minute ! Vous allez pas vous en
tirer comme ça ! Qu'est-ce que c'est que cette
histoire ? ! VOUS ME PRENEZ POUR UN CON OU
QUOI ? !

— Je suis désolée, dit Luci en ouvrant la portière
de l'oiseau de feu. Merci quand même !

Elle grimpe à bord avec une ébauche de sourire sur les lèvres. Paul la trouve grandiose. Il éclate de rire. Renifle un caillot de sang.

Il rit toujours en regardant Barman gesticuler sur le bas-côté tandis qu'il démarre en trombe.

Il rit encore un kilomètre plus loin. Il rit vraiment pour de bon. Pourtant la soirée avait plutôt mal commencé…

Si la vie en ce monde est un grand songe…

Luci n'est pas retournée au Howard Johnson. Trois fois dans la semaine elle appelle son agent de New York qui n'a rien pour elle. Paul a fait deux soirs en extra pour Ed et Jim. Son boulot consistant à garnir le buffet et le bar pendant que quelques poignées de gens bien élevés échangeaient des banalités sur un parquet ciré. Ed et Jim TRAITEURS À DOMICILE. LA VIE FACILE. Mais le fric est mince et Paul a dû emprunter en plus cinquante dollars à Mike pour assurer le loyer. Bernie est revenu s'installer chez Mike qui ne supporte pas de vivre seul. Les Babas n'ont pas apprécié son escapade avec le véhicule sacré et l'ont gentiment prié d'aller se faire voir ailleurs. La Ford est remontée sur ses cales. Quelques bosses en plus mais l'esprit est là. Doc Goofy est mort d'une overdose. La médecine est en deuil. C'était en première page du *Sun News*. BIEN SÛR BERNIE EST PERSUADÉ QU'IL S'AGIT D'UN MEURTRE. Comment est-ce qu'un spécialiste de la dope tel que lui pourrait se shooter le trépas dans les veines? Il a adressé une lettre au grand patron de la CIA via le poste de télé : JE SAIS QUI VOUS ÊTES! FLICS DES TÉNÈBRES, L'AMOUR VOUS DÉCIMERA! Et parallèlement à ses activités de dingue intégral il rédige un traité de Politique Internationale Paranoïaque, une sorte d'autobiographie génético-cosmique dans laquelle il retrace les grands moments de l'humanité-Bernie. Il prêche le désarmement des esprits, la reddition des haines et le dépôt de bilan du capitalisme meurtrier exercé par l'Amérique à travers le monde. Paul a lu une douzaine de pages. La voix de Bernie s'y élève pure et claire. Du style. Du souffle. La paranoïa est un art sacré que Bernie pratique avec une verve angélique.

Un automne difficile. La vie a ce pouvoir de rendre invivables les choses les plus ordinaires : la soupe à l'oignon sans fromage en est un exemple. Four Gables Motel. Crépuscule. Paul est assis à la table de cuisine. Luci est couchée et regarde la télé. Les feuillages roux des arbres se balancent dans le ciel bleu et un courant d'air frisquet se glisse par le carreau cassé. Paul s'était dit qu'il découperait un morceau de carton pour boucher le trou... Il se lève. La musique du générique de *Star Trek* arrive depuis la chambre. DES HOMMES INTRÉPIDES EXPLORENT LES MONDES INCONNUS AU-DELÀ DE NOTRE GALAXIE...Paul se penche au-dessus de l'évier et promène le doigt sur le bord d'une arête de verre. Il serait bien incapable de dire ce qui a déclenché la scène d'hier. Depuis son scandale au Howard Johnson, il y a huit jours, les affrontements se succèdent à un rythme infernal. Tellement de déchirures en chacun d'eux... Le tranchant glacé coule sous son doigt. Il l'effleure à peine. Une pression supplémentaire de quelques grammes suffirait pour que la peau se déchire et que le sang apparaisse. Luci et lui s'entre-dévorent. Luci et lui courent sur le fil d'un rasoir. La nuit les enveloppe. Ils baisent dans les éclats de verre. L'extase les emporte. La pression est trop forte. Ils basculent. Pas de sol sous leurs pieds nus. JE T'AIME ! TU VEUX NOYER MON PASSÉ MAIS IL Y AURA TOUJOURS UN CADAVRE FLOTTANT DANS LES EAUX... Dans les moments de doute et de terreur il serait bon d'avoir un point de repère, une cible pour la chute, un mouchoir de certitude où poser le cul. Au lieu de ça, ils continuent à creuser éperdument dans le vide d'incertaines galeries pour s'atteindre l'un l'autre et crier leur inexorable soif d'amour.

Paul sursaute... un filet de sang zigzague sur la vitre cassée. Il lui reste trois dollars en poche. Il n'a pas envie de regarder la télé. Et cette obsession qui lui martèle le cœur : IL EST EN TRAIN DE LA PERDRE. LE COURANT LES ENTRAÎNE AU LARGE. RIEN À QUOI SE RACCROCHER. Il va dans les chiottes chercher un bout de papier hygiénique qu'il s'entortille autour du doigt. Luci est couchée tout habillée, deux oreillers calés dans le dos. Elle fixe l'écran parcouru de lueurs roses... ESPACE, FRONTIÈRE DE L'INFINI VERS LAQUELLE VOYAGE NOTRE VAISSEAU... Il trouve une bouteille de vin... EXPLORER DE NOUVEAUX MONDES ÉTRANGES, DE NOUVELLES FORMES DE VIE ET AU MÉPRIS DU DANGER RECULER L'IMPOSSIBLE... Il descend récupérer le tire-bouchon tombé dans la cour. Luci le lui avait jeté à la figure. Une chance qu'elle l'ait raté. Un carreau de plus ou de moins... et il peut toujours découper un bout de carton, boucher le trou avec...

17

ROCK CITY

Il s'est mis à rêver de Rock City...

Une ville où la solitude n'existe pas et où les romans s'écrivent. Où les générations perdues se retrouvent. Une ville où la musique ne meurt pas.

Presque chaque nuit il rêve de Rock City. LA HUITIÈME MERVEILLE DU MONDE...

Le gérant du motel est venu cogner à leur porte à dix heures du soir pour leur réclamer le loyer des deux semaines précédentes. La troisième fois en deux jours qu'il se déplace. Il y a des urgences qu'on ne saurait ignorer trop longtemps. Faire quelque chose s'impose. Paul enfile un pantalon, un pull et descend téléphoner. Il reste un moment planté dans la cabine, les doigts glacés, à se demander qui il va pouvoir taper. Se décide finalement pour Ed et Jim qui acceptent de lui prêter trois cents dollars jusqu'à ce que la situation se débloque. Il remonte prévenir Luci et part en voiture avec Crazy Lou chercher l'argent.

Il s'arrête en chemin pour prendre deux dollars d'essence. Un brouillard épais flotte sur la route et il ne dépasse pas les cinquante à l'heure. Crazy Lou flaire le vent par la vitre entrouverte en frétillant du derrière. Elle adore les balades en bagnole, surtout quand elle peut s'asseoir à côté de Paul et filer de temps en temps un coup de langue affectueux sur la main qui tient le volant.

Presque chaque nuit il rêve de Rock City...

Et tout s'en va. Sa vie dévale la pente vers le tout-au-dégoût. Cette foutue fin de siècle dure trop longtemps. Des arbres arrachés par la tempête sont couchés sur le bord de la route. Crescent Beach disparaît et il n'a plus la force de retenir le paysage. Il voudrait dormir quelque part... dormir pour de bon.

Entre Luci et lui, c'est la guerre des corps et des esprits. Ils ont des armes tranchantes qu'ils affûtent dans les cris et les effondrements. Elle le menace de rentrer à New York. Il meurt à chaque minute. Une rage désespérée les dresse l'un contre l'autre. Ils se cognent aux murs. Roulent au sol. Des fleurs de nausée les frappent au visage. Elle s'enferme dans la salle de bains. Il tambourine contre la porte. Il jure qu'il l'aime mais bien sûr ça ne suffit plus. Les mots coulent à pic dans le flot de leur folie. Il se débat. Il boxe des fantômes et s'écrase les mains sur des piliers creux. Au-delà c'est le vide et la solitude... Luci hurle. Elle avale le tube de barbituriques. Il envoie par la fenêtre leur dernière bouteille. Des nuits entières. Et des jours à contempler sans y croire les blessures qu'ils se sont faites. À l'aube, quand enfin on n'entend plus que le bruit de leurs deux respirations alors Paul retrouve le chuintement du silence... Son rêve qui s'écoule goutte à goutte dans l'ailleurs.

Les larmes aux yeux il traverse les nappes de brume. Ils ne se marieront jamais. Il va fuir. Pas de lune. Le boulevard désert. Il va fuir. Depuis l'enfance il a ce trou dans la tête, ce désert qui avance trop vite et recouvre inexorablement les plaines inquiètes de l'existence. Pas de repos pour lui. Pas de trêve. Tout s'achève avant de commencer. Courir, courir... et la torture cessera bien un jour. Quelque part... Des tourbillons de sable levés par le vent. Plus de soleil. Plus de nuit. Luci perdue.

Il se gare devant la maison d'Ed et Jim, le long de la haie de troènes. Voilà un couple heureux. Ils s'aiment et ils ont réussi dans les affaires. Ils ont fini de payer les traites de la Mercedes et investissent maintenant dans l'immobilier. Crazy Lou file droit vers la cheminée et s'allonge sur les dalles. Des bûches synthétiques brûlent en sifflant. Paul se fait offrir à boire. Jim a des mains de femme, longues, effilées, les ongles impeccablement taillés. Il effleure les choses avec légèreté. Tout son corps semble danser. Ed est nettement plus lourdaud, mais fou d'amour pour Jim. Il le quitte pas des yeux et sourit tendrement au moindre mot qu'il dit. Paul empoche les trois cents dollars glissés dans une enveloppe avec son nom dessus.

— Tu n'as pas l'air dans ton assiette...

Jim est agenouillé devant lui et scrute son regard. Paul renifle et s'enfonce dans le canapé.

— Si si... ça va.

– Raconte pas d'histoires, minou. T'as une tête désastreuse. Hé ! T'as vu la mine qu'il a ?

Ed hausse les épaules.

Jim continue :

– Ça va plus avec ta femme. Tu es à bout et tu sais plus vers quoi te tourner...

Ed :

– Arrête de l'emmerder.

– Je l'emmerde pas. Il a besoin de parler, ça se voit. (À Paul :) C'est pas vrai ?

Paul sent la paume tiède de Jim se poser sur son genou et l'étreindre doucement. LE VISAGE DE LUCI S'ÉLOIGNE... TOUTES LES CHAMBRES DE MOTEL D'AMÉRIQUE SONT HABITÉES PAR LA FOLIE, LE DÉSERT AVANCE...

Ed reverse à boire à tout le monde. Il a vu le geste de Jim et ça le fait sourire.

– Je voulais tout donner pour elle, fait Paul en refoulant un sanglot. C'est dingue... tu te démènes pour construire quelque chose et il y a cette MORT qui fout tout en l'air. Plus tu t'accroches à la vie et plus elle se défile.

– Tu n'as pas trouvé quelqu'un qui te comprenne vraiment, c'est tout, réplique Jim.

Il masse gentiment le genou de Paul, lèvres entrouvertes, les yeux brillants.

– Je sais pas. Je sais plus rien. J'ai envie de m'enterrer dans un trou profond.

Ed :

– C'est vrai que tu es dans un sale état ! Vous vous êtes tapé dessus ?

– Il faut que je parte... J'ai pas le choix. Si je la quitte pas je vais devenir fou.

– Alors, n'attends pas, déclare Jim. Sauve ton âme pendant qu'il en est temps.

Paul boit une gorgée d'alcool.

Elle lui reproche sa fragilité. Elle jette des pierres dans ses sables mouvants et il avale tout. Il la regarde tourner à l'orage, plante ses crocs dans sa chair pour se gorger de son odeur, de sa sueur… PLUS JAMAIS ÊTRE SEUL… Luci sous la douche. Luci assise au bord du lit avec en face d'elle l'abîme d'une bouteille de gin, avec ce gémissement inarticulé, avec la salive et les larmes, le vertige…

– J'ai peur qu'elle fasse une connerie, avoue-t-il après un silence. Elle a essayé de se suicider l'autre soir… aux barbituriques.

Ed ricane.

– Ces pétasses sont prêtes à tout pour te coincer ! Si tu cèdes au chantage, t'es foutu !

– Je crois que je l'aime encore…

Jim est toujours agenouillé devant lui. Ses doigts lui pétrissent la cuisse avec insistance. Paul croise les jambes, gêné. Un miel fade et obscur l'englue.

– Tu ne l'aimes pas, murmure Jim en posant la joue sur son genou. Tu as juste besoin d'un peu de tendresse… Pourquoi tu resterais pas avec nous quelques jours ? Ed, qu'est-ce que tu en dis ?

Ed hoche la tête et fait descendre sa main vers son entrejambe en se passant la langue sur les lèvres.

Paul remarque le poster au-dessus de la cheminée : un étalon en train de monter une jument. Il a mal au cœur. Il va pour se lever mais Jim lui attrape le mollet.

– Paul… Si t'as jamais essayé c'est le moment ou jamais.

– Ce serait con. J'ai vraiment pas la tête à ça. J'veux dire… je vais peut-être bien quitter la ville…

Il parvient quand même à s'arracher du canapé. Voilà un couple heureux, il se dit, et qui sait profiter de la vie. Il appelle Crazy Lou qui se lève d'une détente des reins et vient le rejoindre en remuant la queue.

– Merci pour le fric. Je vous rends ça dès que je peux.

Ed :

– Où tu comptes partir ?

Paul fait une moue évasive.

– Je sais pas. Je vous envoie une carte.

Jim lui glisse une main aux fesses. Il est dehors. Dans les bras de la nuit. LE VISAGE DE LUCI S'ÉLOIGNE DANS LA BRUME... Ils peuvent pas continuer comme ça. Il va rentrer et lui parler.

Et il se remet à rêver de Rock City, les yeux grands ouverts, regardant les silhouettes vagues des arbres défiler par la vitre. Ils peuvent pas continuer... Il va rentrer et lui parler...

Ça a tout de suite pris une mauvaise tournure. Ils se poursuivent à travers les chambres jumelles comme des fauves en cage. Elle ne l'écoute pas. Il prend quelques coups de griffe. Le tire-bouchon vole à travers le dernier carreau de la cuisine. Il pose deux billets de cent dollars sur la table. La fureur de Luci redouble. Après ce qu'elle a enduré avec lui elle va pas se faire congédier comme UNE FEMME DE MÉNAGE !

– C'est pas ça, Luci. Le temps d'y voir un peu plus clair dans ma vie, de savoir ce que je veux faire. Je t'aime toujours mais à quoi ça sert de vivre ensemble pour se taper dessus !

Elle rafle les deux cents dollars qu'elle réduit

en confettis et jette à travers la pièce d'un geste tragique.

– C'est toi qui m'as amenée dans ce trou minable ! J'ai tout abandonné pour toi. Tu m'as fait perdre mon job avec tes crises stupides et maintenant tu me fous dehors !

– Non, je te fous pas dehors, c'est moi qui m'en vais.

– Si tu franchis cette porte, Paul, tu me reverras jamais ! JAMAIS !

Il s'appuie contre le mur et croise les bras.

– On peut pas continuer comme ça. On peut pas, Luci. Regarde-nous !

– TU AURAIS LE CULOT DE ME LAISSER DANS CETTE VILLE POURRIE !

– Avec ces deux cents dollars tu pourrais aller à New York.

– ESPÈCE DE SALAUD ! TU AS PRIS CE QUE TU VOULAIS DE MOI ET TU CROIS QUE TU VAS ME JETER COMME ÇA !

Il fait un mouvement vers elle.

– Luci, écoute-moi...

Elle se recule en roulant des yeux hagards trempés de larmes.

– Tu me fais peur ! Tu as une pierre dans le cœur ! Comment est-ce que j'ai pu croire que tu m'aimais...

– Je t'aime. On peut pas vivre ensemble, c'est tout.

– NON ! TU M'AIMES PAS !

Elle se rue sur lui. Il essaye de bloquer ses poignets mais les coups lui pleuvent sur le visage. Des démons dansent autour d'eux. Crazy Lou se réfugie sous la table en hurlant à la mort. Paul dérape sur le carrelage. Il s'effondre sur la cuisinière. Le pot de soupe à l'oignon se renverse et coule dans la chambre en vomissant sur la moquette.

— SALAUD !
— ARRÊTE ! LUCI !
— JE VAIS TE TUER !
— LUCI !

Il la repousse. Elle bute contre la table, ramasse la boîte de sucre qui prend son envol et va s'écraser contre le mur.

ALORS QUE DES ÉTOILES NAISSENT ET MEURENT SANS BRUIT DANS L'ESPACE...

Paul la voit revenir à la charge, le mordre jusqu'au sang, le marteler avec cette fureur tenace de la perdition et de l'égarement, il la frappe avec son poing fermé.

Elle traverse la cuisine à reculons, agrippe un meuble de rangement qu'elle entraîne dans sa chute. Sa tête heurte le carrelage avec un son mat mais elle se relève aussi sec. Paul saigne à travers sa chemise. Un mordu de l'amour. Sa paupière gauche lui fait mal. Pourquoi est-ce qu'il n'est pas resté en face de sa page blanche ? Qu'est-ce qui a pu lui faire croire une seule seconde que la vie valait mieux que la littérature ? Ils se contemplent sans dire un mot. Deux îles désertes.

La nuit est partout.

— Jamais je te pardonnerai... Tu viens de tuer quelque chose.

Paul est tellement abasourdi qu'il met un moment avant de comprendre le sens des paroles de Luci. Elle lui tourne le dos, disparaît dans la chambre et revient une minute plus tard.

— NOOON ! Luci...

Une femme en colère soulève un roc millénaire.

240

Elle se tient légèrement cambrée en arrière, le poste de télé appuyé contre sa poitrine. Crazy Lou hurle de plus belle. Paul se dit qu'elle n'y arrivera jamais. Erreur. Le visage de Luci se crispe sous l'effort et ses bras lâchés comme des ressorts projettent le poste à travers la pièce. Le machin explose littéralement en s'anéantissant au sol. L'écran vole en éclats. L'artillerie lourde pilonne les lignes ennemies. Paul se replie dans la chambre avec un détachement d'idées assassines. Il sent un violent courant d'air et se retourne…

Le gérant de l'hôtel écarquille les yeux sur le sinistre. Il fait trois pas et ses chaussons trempent dans la soupe à l'oignon. Une mer de morceaux de verre s'étend à perte de vue. Il est vêtu d'une robe de chambre écossaise qui lui tombe à mi-mollets. Blanc comme une banquise et la lippe agitée d'un tremblement nerveux.

— MON LOYER ! ! ! JE VEUX MON LOYER TOUT DE SUITE ET DANS TROIS MINUTES SI VOUS N'AVEZ PAS DÉGUERPI J'APPELLE LA POLICE !

— Je sais…, dit Paul en essuyant une sueur froide à son front. On s'est un peu emportés mais…

— MON LOYER ! ET DEHOOORS ! VOUS ENTENDEZ ? DEHOOORS ! ! !

— Si vous êtes bien assuré, vous pourrez refaire les papiers et les moquettes à l'œil.

Il est trois heures du matin. Paul retrouve immanquablement son sens de l'humour dans les pires extrémités. C'est sans doute ça qui le préserve de la folie dangereuse. Luci est passée dans l'autre chambre. Il l'entend farfouiller dans l'armoire pour rassembler ses affaires. Il pousse du pied le cadavre de télé qui bouche l'entrée de la cuisine, s'accroupit et ramasse une pleine poignée de confettis de dollars. Un calme immense l'inonde. Il se sent comme un joueur d'échecs en plein coup de théâtre. Il revient vers le gérant et lui fourre dans la main un mélange d'éclats de verre et de bouts de papier-monnaie.

– C'est tout ce que j'ai. Il faut les recoller mais le compte y est. Dans deux minutes on sera partis.

Le portier de nuit du Holiday Inn hésite un moment avant de leur ouvrir. Il glisse prudemment la tête par l'entrebâillement. Paul lui demande une chambre. Le type a une énorme verrue desséchée au milieu du front et des yeux vitreux. Il les toise, soupçonneux.

– Qu'est-ce qui vous est arrivé ?

– On est en voyage de noces… Un accident de voiture… fait Paul en esquissant un sourire.

Luci est blême et défaite, un œil poché, sanglée dans son manteau de laine rouge qui lui arrive aux chevilles. Le portier hoche la tête. Paul empoigne les deux sacs et entre dans le hall désert. Il titube sous les feux des lustres à paillettes. Épuisé. Dégoûté. Les membres lourds. Il fouille dans ses poches à la recherche d'une cigarette pendant que le type consulte le registre.

– Tenez… Pour vous remettre de vos émotions, je vous donne la chambre nuptiale… au même prix qu'une chambre normale.

Paul force un sourire sur ses lèvres.

– C'est vraiment sympa.

– C'est la 502. À gauche en sortant de l'ascenseur.

Paul ramasse la clé. Le gardien lui adresse un

clin d'œil de connivence auquel il ne répond pas. Il allume le clope tordu qui pend au coin de sa bouche. Luci est déjà en train d'attendre l'ascenseur. Lointaine. Étrangère. Ils ne prononcent pas une parole pendant la montée.

Les Grandes Batailles vous laissent sur le carreau. Sourd. Effaré. Sans force. Avec dans le crâne les résonances du fracas des armées. Le ciel déchiré. Le sol incertain sous vos pas. Viennent ensuite l'engourdissement, la léthargie, le renoncement. Paul appuie le front à la fenêtre. Son regard suit la ligne de réverbères blafards longeant Ocean Boulevard. Les fringues de Luci gisent sur la moquette. Le bruissement de la douche lui parvient, étouffé : ÇA SE PASSE DANS UN AUTRE MONDE... DANS UNE AUTRE GALAXIE... Il va quitter Luci, fuir à toutes jambes. Sans se retourner. Le plus loin possible. Ils se sont fait trop mal. La forêt a brûlé et sur la colline dénudée les sauveteurs sont à la recherche de la boîte noire. Il est bien incapable d'expliquer les causes du drame. Il enlève sa chemise tachée de sang. Une sale morsure au biceps, mauve et noire. Un tas de cendres et de ruines tremble encore dans son ventre. Il souffre d'un pays effondré...

Il jette un coup d'œil sur la chambre. Le lit circulaire avec les draps de satin rose. Miroirs au plafond. Moquette saumon et meubles de style. Chambre nuptiale pour deux solitudes. Deux comètes retournant à la noirceur. Il a mal. Le jet de la douche s'arrête. Il imagine le corps ruisselant de Luci, sa chair qui frissonne. Son visage dans la glace. LUCI ! LA VILLE T'APPARTIENT ! Tout est de sa faute... DE SA FAUTE À LUI. Il va fuir et emporter dans sa course le sillage éteint d'une étoile morte. Luci perdue.

Lorsqu'elle sort de la salle de bains il se tient le dos à la fenêtre. Torse nu. Dans sa main gauche, son couteau ouvert. Celui qu'il trimballe toujours avec lui. Elle ne dit rien, prend son temps pour traverser la chambre et jeter sa trousse de toilette sur le lit. Des gouttelettes d'eau ruissellent sur son front et dans le creux de ses épaules. Elle laisse tomber la serviette qui l'enveloppe et lui fait face.

Paul a le souffle court. Son cœur bat comme un fou. Il lève la main. Luci ne bronche pas. Il pousse un cri étouffé alors que la lame crève la peau et s'enfonce dans son biceps droit. Ses jambes ploient. Le sang dégouline jusqu'à la saignée du bras et tombe goutte à goutte sur la moquette. Il ne sent bientôt plus la brûlure. Il serre le manche du couteau et le tire vers le haut d'un coup sec. Un voile rouge s'abat sur ses yeux. Sa main frappe à nouveau, avec plus de rage cette fois. La lame traverse le muscle et va buter contre l'os. Le sol bascule sous ses pieds tandis qu'un poids énorme et chaud lui écrase la poitrine. Ses doigts trempés de sang se referment sur le manche de corne et il s'effondre en jetant le couteau loin devant lui. Le hurlement de terreur de Luci s'étire interminablement dans l'espace.

Dernier refuge avant l'échappée. Paul devine la route qui l'attend, là, en bas. Une aube grise filtre à travers les rideaux. Luci regarde fixement un point imaginaire entre sol et plafond. Elle l'aime et elle le hait. Comme ce type qu'elle a épousé pour un jour et qu'elle a plaqué dans une salle d'embarquement alors qu'ils devaient s'envoler pour les Bermudes. Dennis. Dennis qui aurait fait n'importe quoi pour elle. N'importe quoi pour ne pas être seul. C'est ça qui l'avait fait fuir. Cette manière professionnelle d'organiser le vide pour qu'il ne vous touche plus. Cette lâcheté. Paul est un imbécile et un paumé mais pas un lâche. Dennis avait une façon de remettre son pantalon dans le pli avant de se coucher... très cadre moyen. On vit dans les pliures pour se rassurer. Luci n'a jamais cherché à se rassurer. Elle vit dans les déchirures. Elle se tourne vers Paul. Leur silence est une maison hantée. Elle va s'accrocher jusqu'à la dernière minute. Elle l'aime et elle le déteste. Elle est à lui mais elle ne lui appartiendra jamais. Ils vont se séparer. Elle n'y peut rien et lui non plus. Elle donnerait sa main gauche pour une bouteille de gin. Il faut qu'elle travaille sa main gauche. Elle va mourir. Elle va continuer à vivre. De piano-bar en piano-bar. De chambre d'hôtel en chambre d'hôtel. Elle se sent capable de mourir aujourd'hui. Le pansement qu'elle lui a confectionné est tout imbibé de sang. Paul la dévisage. Elle appuie la tête contre son épaule. Elle entend le murmure de l'océan... ou peut-être bien qu'elle croit l'entendre. Elle est si fatiguée que ses yeux se ferment malgré elle. Crazy Lou doit se morfondre dans la voiture. Elle pense à Crazy Lou. Elle pense à ce rayon de soleil de Marbella's Court qui lui tapait dans l'œil pendant qu'elle préparait à dîner... Il paraît que le soleil est une étoile en train de mourir. Ce doit être pour ça qu'elle aime tant le soleil. Il doit neiger à New York. Il fait nuit de plus en plus tôt et les gens portent déjà des vêtements d'hiver. Elle chante quelque part, dans un bar ou dans un autre... toujours la même tristesse qui lui colle à la peau... Elle chante. Les hommes se soûlent au bar. Le barman raconte des histoires juives ou polonaises et les rires s'envolent comme des oiseaux de chagrin pour se poser un peu plus loin. Des femmes seules... Une file de taxis. Elle a demandé à son chauffeur préféré de venir la chercher et de l'emmener de force parce que sinon elle peut rester là à boire et regarder les glaçons fondre dans son verre et voir s'envoler les oiseaux de chagrin jusqu'à ce qu'elle tombe de son tabouret et que quelqu'un la ramasse en lui touchant les fesses et les seins et qu'elle ait envie de vomir et que tout se mette à tourner et qu'elle chante dans sa tête une chanson que personne n'a jamais entendue... une chanson qui lui ressemble, bien à elle, la chanson de sa solitude. Alors le chauffeur de taxi la prend sous les aisselles et la soulève. Une bonne grosse bouille de Nègre qui lui dit « Allez, mam'zelle, je vous ramène... ». Des nuits... des nuits... Toutes pareilles... La fenêtre qui donne sur un parking. Les lumières de Brooklyn. Le couteau taché de sang... Maintenant il y a un couteau taché de sang dans cette chambre d'hôtel et elle se répète qu'elle pourrait mourir aujourd'hui... pourrait mourir aujourd'hui... pourrait mourir...

Paul remonte l'oreiller dans son dos. Luci s'est endormie sur son épaule. Son bras l'élance terriblement. Impossible de le bouger. Qu'est-ce qu'il a essayé de prouver encore une fois ? Il doit se croire coupable et s'est mortifié pour payer son dû. Le complexe du héros qui le reprend. Le roman est enterré pourtant et la route l'attend.

Il sort les jambes d'abord puis le reste du corps, tout doucement, pour ne pas réveiller Luci. Il enfile son jean, tire de son sac un tee-shirt propre. Quand il relève la tête il voit Luci qui l'observe. Elle bondit hors du lit comme une furie.

– Qu'est-ce que tu fais ? elle demande.

– Je m'en vais.

Elle est adossée à la fenêtre. Elle se retourne et l'ouvre en grand. Le jour se déverse dans la chambre.

– NON ! elle crie.

– Quoi non ?

– Tu t'en vas pas.

– Si, Luci. Tu sais très bien...

Il enfile le tee-shirt en grimaçant de douleur. Laisse son bras pendre.

– Si tu passes cette porte, je me jette par la fenêtre !

Les palmiers d'Ocean Boulevard se balancent sous la brise. Il regarde le ventre de Luci se soulever et s'abaisser à un rythme d'enfer. Il avait toujours cru que les filles respiraient avec la poitrine. Elle est belle, comme ça, toute nue dans cette lumière grise. Il empoigne son sac et se dirige vers la porte tandis qu'elle gueule dans son dos :

– JE TE PRÉVIENS QUE JE SAUTE ! SI TU FRANCHIS CETTE PORTE...

Il marche droit jusqu'à l'ascenseur, appuie sur le bouton d'appel et tire du paquet sa dernière cigarette. Elle est cassée au milieu. Il jette une moitié et glisse l'autre entre ses lèvres.

18

AILLEURS

Voilà, et il pourrait rouler comme ça sans s'arrêter, vissé au volant. Jusqu'à ce qu'il oublie d'où il est venu et où il va. Jusqu'à ce qu'il oublie même la couleur de sa voiture et la marque des cigarettes qu'il fume à la chaîne. La pièce qui manque au puzzle de sa vie c'est la route qui fuit. Toujours devant. Il ne finira jamais son ciel. Il y aura toujours ce trou dedans par où la route s'en va.

La semelle de botte brûlante sur la pédale des gaz. Le paysage qui défile par la vitre. Toujours le même, toujours différent. Des oiseaux de proie qui descendent en piqué sur une prairie.

La pluie. Le soleil. La nuit.

Sans jamais en voir le bout.

Sans jamais chercher autre chose.

Rouler en rêvant de Rock City...

Bernie est penché sur le journal du matin quand Paul arrive. Un peignoir en loques sur le dos, le cheveu hirsute, il feuillette le canard en étouffant bâillement sur bâillement. Mike roule le premier joint de la journée, vautré sur le canapé. Ça sent le tabac refroidi et la bière malade avec en plus un relent de vieux fauve et de chaussettes moisies.

– Vous voulez pas que je laisse ouvert ? Ça schlingue.

Mike ne lève pas la tête.

– Si tu y tiens… Moi je sens rien.

Paul pose son sac dans un coin. Il a enfilé un blouson de toile kaki. Son bras droit pend comme un bout de bois le long de son corps. Bernie lui adresse un vague bonjour et se replonge dans sa lecture.

– Sers-toi en café, dit Mike. S'il en reste.

Juste un fond de cafetière qu'il verse dans un verre sale et avale d'un trait.

– MERDE ! s'écrie Bernie, REGARDEZ ÇA ! ILS L'ONT EU ! ILS L'ONT COINCÉ !

Paul s'approche. La photo de Costard bleu roi s'étale en page trois avec dessous une légende…
L'ASSASSIN PRÉSUMÉ DE JOHNNY WEST APPRÉHENDÉ PRÈS DE TAMPA, FLA. BILL TERMINUS, ALIAS PAOLO LÉONE, SERA TRANSFÉRÉ DANS LES PROCHAINES QUARANTE-HUIT HEURES…

– … vers la prison de Crescent Beach pour y être écroué, achève Bernie à mi-voix.

Mike se traîne jusqu'à la table. Un caleçon fripé flotte sur ses jambes maigres. Il tire sur le joint en matant le portrait de Bill Terminus.

– Eh ben, t'as plus rien à craindre, Bernie ! Le tueur est hors service.

– Ils sont partout. La Mafia a des pions dans toutes les cases. Tu veux que je mette le nez dehors ? EST-CE QUE TU VEUX QUE JE METTE LE NEZ DEHORS ???

Mike secoue la tête d'un air fatigué.

– Oh ça va, ça va… Commence pas ton cirque ! (À Paul :) Il lui faut une escorte pour aller acheter un paquet de chips à cet enfoiré !

Il se racle la gorge et crache sur le tapis puis se remet à sucer le stick.

— PUTAIN ! MAIS ON EST EN GUERRE ! braille Bernie. Ouvrez n'importe quel journal à n'importe quelle page. Ça crève les yeux !

Mike hausse les épaules.

— Y a pas de guerre dans la rubrique des sports.

— Luci a voulu se jeter par la fenêtre…, annonce brusquement Paul, la voix blanche. Elle m'a dit qu'elle allait sauter. Je suis quand même sorti de la chambre et j'ai fumé une demi-cigarette dans l'ascenseur. Après j'ai couru voir sur le parking. Elle avait refermé la fenêtre.

Bernie et Mike le regardent fixement. Ils remarquent son allure penchée. Son bras raide et sa gueule striée de coups de griffe. Le silence dure un bon moment et puis Mike marmonne :

— Qu'est-ce que je t'avais dit ? On récolte que des emmerdes…

Il tend le joint à Paul qui le prend entre deux doigts puis ajoute :

— Toutes des cinglées ! Elle t'a mis dans un drôle d'état. Qu'est-ce que t'as au bras ? Le plus terrible c'est qu'elles font de nous des victimes ! DES VICTIMES ! Devrait y avoir une loi.

Paul tire une chaise vers lui et s'assoit. Il a de la brume dans les yeux et la nausée au cœur. Des états d'âme non balisés.

— Qu'est-ce que tu vas faire ? demande Bernie.

— Je quitte la ville. J'emmène le chien avec moi. Je peux plus rester ici.

— Et en plus ces salopes ont toujours le dernier mot ! fait Mike. Tu veux une bière ?

Bernie se ronge l'ongle du pouce et, pfffft, l'envoie promener.

– Vers où tu vas ?

– Rock City.

– Rock City ? Connais pas. C'est quel coin ?

Paul ébauche un sourire.

– Je sais pas. Sûrement assez loin...

Mike sort de la cuisine avec deux bières et lance :

– Je crois que c'est dans le Missouri... Que je dise pas de conneries... Non, c'est vers Chattanooga, Tennessee. Enfin, il me semble...

Bernie recrache un autre ongle. Ça bouillonne dans son crâne.

– Et si je te disais que j'aimerais bien être du voyage...

– Je te répondrais de boucler ton sac vite fait. Départ dans dix minutes.

Mike glousse dans sa canette.

– Vous au moins, vous êtes des rapides ! Merde, et qu'est-ce qu'il a de spécial ce bled ?

Bernie a déjà filé vers la chambre.

– C'est autre part...

– Et ça te suffit ?

– Pour l'instant, oui.

– La vache ! Elle t'a foutu dans un drôle d'état.

– Laisse tomber, Mike. J'ai cent dollars en poche et je vais à Rock City. Il y a rien d'autre à comprendre.

– Et vous me plantez là comme un vieux pneu !

Il rit.

– Ouais.

Bernie est prêt en cinq minutes. Une valise extralégère. Un blouson sur l'épaule. Il ramasse un sac en papier posé sur l'étagère au-dessus de la télé et le vide sur la table. Lithium, Valium et le reste.

– Je risque d'être un peu juste. Faudrait s'arrêter en route.

Paul étend le bras et balaye le stock de bonbons du plat de la main. Il écrase joyeusement tout ça à coups de talon rageurs. Bernie ouvre des yeux ronds.

– Paul... Qu'est-ce tu...

– Écoute, vieux, tu es le type le plus sain d'esprit que j'aie rencontré depuis longtemps. C'est les autres qui sont malades. Prends juste de l'aspirine, j'ai un début de migraine.

Mike éclate de rire.

– C'est la meilleure celle-là ! Mieux qu'au cinéma. Deux givrés en route pour le cabanon ! Vous avez rien compris, les mecs !

Paul boit une gorgée de bière et se lève. Mike rigole toujours. Il en devient tout rouge.

– Le manchot et le barjo s'en vont à Rock City ! Yepee !

Et il continue à brailler dans le jardin jusqu'à ce que la voiture démarre et qu'il la perde de vue au coin de la rue. Le temps est plutôt gris et le vent siffle dans les arbres. Les chances d'éclaircies sont pratiquement nulles.

La voiture lancée comme une fusée file à travers les champs de maïs. Crazy Lou est couchée en rond sur les genoux de Bernie qui lui gratte le dessus de la tête en regardant fixement devant lui. Paul conduit avec un seul doigt. La route glisse merveilleusement. Elle disparaît sous le capot pour se dérouler dans le rétroviseur en un petit ruban noir net et sans bavures. Heureusement qu'il y a les routes pour fuir ou vraiment ce serait invivable. Les lâches sont ceux qui restent, lui disait Bernie tout à l'heure. Finalement Paul se fait à cette idée. Et puis, ailleurs ne lui a jamais semblé aussi près que maintenant. C'est un encouragement.

Une direction à suivre. Il n'a pas vraiment envie de trouver sur le bord de la route le panneau indiquant Rock City. En tout cas, c'est pas pressé. Rien d'urgent. Que Rock City n'existe pas ne contrarierait même pas ses plans. Porté par le vent c'est comme ça qu'il a envie d'aller.

Ils passent des villages noyés sous le ciel nuageux. Tous les mêmes. Quelques granges, des écuries, des églises d'une blancheur de lessive se détachant du paysage comme des panneaux publicitaires vides. Des motels étalés dans de vastes terrains vagues avec juste une voiture garée devant la réception. Des distributeurs de Coca plantés aux coins des rues.

Ils viennent de traverser un bled du nom de Boretown quand Bernie allume la radio. Il tombe entre deux stations et un chuintement rauque, sonore, fuse du haut-parleur TCHHHHHHUUU... TCHHHHHHHHUUU... Ils écoutent un moment le bruit blanc en se jetant des coups d'œil à la dérobée. Paul regarde partir l'Amérique, vitre baissée, giflé par le vent.

Au fond, Bernie et lui fuient la même chose... ou à peu près.

Au fond ils sont pareils.

Évidemment Bernie a les Ombres-puantes qui lui courent après. D'ailleurs Paul le voit jeter de temps à autre des regards inquiets dans le rétroviseur extérieur.

– Si tu mettais de la musique...

Bernie trouve un poste FM qui diffuse un vieil enregistrement des Who... « *I can see for miles and miles and miles...* »

Ils écoutent sans parler, chacun dans sa tête. Bernie continue de gratouiller mécaniquement la nuque de Crazy Lou. La chienne grogne de plaisir et se tourne pour lui décocher un regard amoureux.

Les poteaux télégraphiques défilent de plus en plus vite.

Rouler en rêvant de Rock City.

Sans jamais chercher autre chose.

Du moment que la musique n'est pas morte.

Paul est en train de penser à cette moitié de cigarette qu'il a fumée dans l'ascenseur en quittant Luci quand Bernie lui tapote le bras.

– Regarde derrière.

Paul aperçoit une bagnole à une cinquantaine de mètres. Une grosse bleue. Une Buick sans doute.

– Et alors ?

Bernie le dévisage d'un air effaré.

– ÇA Y EST, ILS NOUS ONT REPÉRÉS ! ILS SONT LÀ !

Paul garde son calme. Tant qu'ils rouleront rien ne pourra les atteindre. Il aurait dû garder l'autre moitié de cette fameuse cigarette pour la fumer plus tard.

– ACCÉLÈRE ! BON DIEU ! ILS GAGNENT DU TERRAIN !

Posément, Paul se cale dans son siège, bras tendus sur le volant. Il enfonce la pédale d'accélérateur au maximum. L'oiseau de feu bondit avec un crissement de pneus. Il gronde férocement entre ses dents :

– Ils nous auront pas Bernie. On est deux maintenant !

2411

Composition Communication à Champforgeuil
Impression Brodard et Taupin
à La Flèche (Sarthe) le 26 juillet 1988
6706-5 Dépôt légal juillet 1988
ISBN 2-277-22411-1
Imprimé en France
Editions J'ai lu
27, rue Cassette, 75006 Paris
diffusion France et étranger : Flammarion